2025年7の月に起きること

The prophecies
in the month of July 2025

神薙 慧 著
浅井 隆 監修

第二海援隊

プロローグ

もしも地獄の真っ只中にいるのなら、そのまま突き進むがいい（チャーチル）

歴史の四〇年パターン、たつき諒氏の予言、SHOGEN氏の体験

この世の中には、〝不思議な話〟というものが時折存在する。

二〇二五年をめぐる「三つの話」もそのようなものかもしれない。

いつの頃からか、「日本の近現代の歴史（一八五三年のペリー来航以来）には『四〇年パターン』が存在するらしい」ということが、歴史学者や経済の専門家の間で囁（ささや）かれてきた。

つまり、幕末～明治維新（一八五三～一八六八年）を底として、日本は一気に近代化の坂を駆（か）け上がり、日露戦争勝利の一九〇五年にピークを迎える。そこから一気に下り坂を転がり落ち始め、一九四五年の敗戦にドン底に達する。そして、その戦後のドサクサから人々は再び立ち上がり、高度成長の登り坂をあっという間に駆けのぼり、一九八五年のプラザ合意の頃に頂点に達した。

そして、そこから日本凋落（ちょうらく）の道が始まる。いまや、日本の国際競争力は地に

堕ち、財政は〝火ダルマ〟だ。そして一九八五年の四〇年後というと、二〇二五年だ。その頃日本は、ドン底に転落する可能性が高いというのだ。

そんなことを考えている時に、まったく思いもよらない方向から二〇二五年のパニックを予測する話が出てきた。しかも、その主人公は元漫画家で七〇歳くらいの女性だという。そして、メインテーマは〝予知夢〟だという。

はっきり言って、最初は何かインチキか作り話の類かと思った。しかし調べて行くうちに、考えが変わった。その〝予測〟あるいは〝予言〟には、それを読み解くための特殊なノウハウが必要だが、それさえ会得してしまえばいくつかの重大なポイントが見えてくる。しかも、しっかり調べるとあの「東日本大震災」（二〇一一年三月）を当てていたのは、その元漫画家の「たつき諒」という人物だけだったということもわかってきた。

そのたつき諒氏が今、「二〇二五年の七月に日本を六〇メートル級の巨大津波が襲う！」という予知夢を見たというので世間を騒がせているのだ。

そして、三番目のストーリーはさらに不可思議だ。ちょっと前までまったく無名だったペンキ画家の「ＳＨＯＧＥＮ」という人の言動だ。彼はアフリカ東海岸のタンザニアの田舎にある小さな村（ブンジュ）に吸い寄せられるように行ってしまったという。そして、そこで現村長（七〇歳）から不思議な話を聞かされたのだ。「今から一二〇年ほど前のこと。シャーマン（祈祷師）だった私のおじいさんに天から声が降ってきて『日本の縄文時代』や日本のさまざまなことを知ったという。村人たちに代々語り継がれる中、『二〇二五年七月に日本が大きく変わる出来事が起こる』という話がある」というのだ。

ＳＮＳで大評判を呼んだこの話のおかげで、ＳＨＯＧＥＮ氏は今、日本中から講演に呼ばれて天手古舞（てんてこまい）の忙しさだという。

この三つのストーリーが示す、「二〇二五年の真実」とは何なのか。

というわけで、本書では、〝二〇二五年〟にこの日本に何が起きるのか、そして私たちはどういう時代に生きているのかを解き明かすための、少し不思議な物語が展開されて行く。まずは本書を開いて、続きをご覧いただきたい。

二〇二四年二月吉日

神薙（かんなぎ）　慧（けい）

目次

第二章 日本列島がもし六〇メートルの超巨大津波に襲われたら……。

第三章　生き残るために——命懸けで財産と家族を守れ！

エピローグ

※注　本書では一米ドル＝一五〇円で計算しました。

第一章

二〇二五年七月五日四時一八分に一体何が起きるのか

悲しみが来る時は、単騎ではやって来ない。必ず軍団で押し寄せる。

（シェイクスピア）

ある漫画家の夢が告げる「日本の危機」

「たつき諒」という漫画家をあなたはご存じだろうか。一九七五年にデビューし主にミステリー・ホラー系の作品で活躍、そして一九九九年に引退した少女漫画家である。

この時代は、多くの女性の漫画家が登場し、その後の少女漫画の世界が大きく広がった時期だ。いまや「日本の文化」の一つとして世界に認められる日本のアニメ・漫画は、まさに一九七〇年代から九〇年代に急速に発展したことで文化にまで昇華したとも言えるだろう。

実際、この時期には「国民的」ともいうべき認知度を誇る作品がいくつも登場している。少女漫画にまったく詳しくないという人でも、『ガラスの仮面』『ベルサイユのばら』『エースをねらえ！』『キャンディ♡キャンディ』など、タイトルだけなら「ああ、知っている」と思うのではないだろうか。ここに挙げたタイトルは、すべて一九七〇年代に誕生したもので、その後の漫画界のみならずテレビ・映画・ショービジネスなど、エンターテインメント業界全般にも多大な影響をおよぼした作品たちである。

しかしながら、たつき諒先生（ここはあえて、作家への敬称である「先生」を用いたい）は、残念ながらこうした金字塔的作品を残した先生ではない。失礼を承知で申し上げるが、国民的大ヒットを飛ばした、いわゆる「ビッグネーム」「大先生」ではなく、当時数多く登場した漫画家のお一人にすぎない。

ではなぜ、本書であえて先生の御名前を、しかも冒頭に挙げたのか。実はたつき先生は、引退から二〇年以上にも亘ってほとんど注目されることはなかったのだが、最近になって突如として脚光を浴びることになり、さらにはそれをきっかけとして二十数年ぶりに書籍を刊行したのだ。

私は、ひょんなことからその話を聞き付け、その書籍を買い求めたのだが、そこに書かれていた内容は驚（きょう）がく、そして戦慄（せんりつ）すべきものであった。しかもその内容は、私が常日頃懸念する「日本に迫っている危機」にも、非常に密接な関係があると考えられるものだったのだ。私は、本書を通じて皆さんに「来たるべき日本の危機に備える」ことの重要性を強くお伝えしたいと思っているが、それに先立ってぜひ、たつき先生のお話についてもお伝えしておきたい。

書籍『私が見た未来』の恐るべき内容

たつき諒先生の二十数年ぶりの作品『私が見た未来 完全版』（飛鳥新社）は、二〇二一年一〇月に発売されたのだが、わずか一ヵ月半で四〇万部を売り上げ、最終的には五六万部を突破するベストセラーになった。出版不況が叫ばれて久しい現代にこれほどのヒットを飛ばすこと自体が異例であるが、それが人気作家によるものではなく、引退から二〇年も経った漫画家の作品である点も極めて珍しい。

なぜ、この本がこれほど注目されたのか。それは、先生が持つ「ある特殊な能力」に関心の目が注がれているからだ。もったいぶらずに言おう。その「特殊な能力」とは、ズバリ「予知夢」だ。

実はたつき先生はデビュー当時から〝夢日記〟を付けており、時折見た不思議な夢を題材に漫画の執筆もされていた。そしてその夢が実に不思議なものであり、しかも奇妙なことに非常に高い確率で的中していたのだ。たとえば、先生はイギリスの人気ロックバンド「QUEEN」のボーカル、フレディ・マーキュリーの死去を正確に予言するかのような夢を見ていた。フレディの死去は一九九一年一一月二四日、たつき先生がその事実を知ったのは同月の二八日だが、実はそのちょうど五年前の一九八六年一一月二八日に、たつき先生はフレディの死去を知らせるテレビのニュースを〝夢で〟見ていたのである。しかも、同じ夢をさらに遡る(さかのぼる)こと一〇年前の一九七六年一一月にも見ていたのだ。

人はいつか死ぬとはいえ、フレディは四五歳という、当時でも異例の若さで逝去した。しかも、たつき先生が初めて夢を見た時、フレディはまだ三〇歳の若さであった。二度目の夢の時でも四〇歳であり、三〇歳、四〇歳の世界的ロックスターが若くして死去するなどと、普通は想像すらしないものだろう。

さらに二度目の夢を見たのは、亡くなったことを先生が知った日とまったく同じ月日であったという点も、非常に意味深長である。

ほかにも、「予知夢」と思われるエピソードがいくつもある。一九九二年、たつき先生はある不思議な夢を見た。絵を描いた紙（スケッチ）が出てきて、「ダイアナ」と呼ぶ年配の女性の声と名前のスペル「DIANNA」（本人メモのママ）、たつき先生の自画像と共に赤子を抱いた「ダイアナ」という女性の写真が出てきたという。どことなく脈絡がない説明だが、夢の中の出来事であるから、これらの要素が断片的にイメージされたのだろう。いずれにしても、「ダイアナ」という女性が突如として夢に現れたのである。そして、その夢を見た日からちょうど五年後の同じ日、一九九七年八月三一日にかのダイアナ元妃は交通事故で亡くなった。執拗（しつよう）に追いかけるパパラッチから逃れようとして、悲惨な事故に遭ったのだ。

この夢に関して、たつき先生は（夢の印象からはダイアナ元妃が）「彼女が亡くなるというイメージはまったくありませんでした」（『私が見た未来　完全版』

飛鳥新社）と話しており、後に読者から意味付けがなされたとしているが、しかしこれほど明瞭にダイアナ元妃の死去と関連した夢は見られるものではなく、やはりダイアナ元妃死去の予知夢と解釈するのが順当だろう。

ほかにも、行ったことのない場所が夢に登場し、後にその場所に偶然行き当たって強烈な既視感（デジャヴ）を覚えたことも何度もあるという。一九八九年八月二七日に見た夢では、「地底か山にでも空いた大きな空洞で　深い色をした海……　顔はどんなだったか　とにかく傍らに女の子が座っている」（同前）というイメージが浮かんだという。それから一年後の一九九〇年八月、執筆に行き詰まったたつき先生が、散策で初めてある公園に訪れた際、まさに夢で見たものと同じ形をした洞窟のようなトンネルを見付けたのだ。しかも、それだけではない。家に帰ってテレビを見ると、そのトンネルで同じ日に殺人事件があり、夢に出てきたのと同じ服、同じ特徴の女性が被害者だったというニュースが報じられていたのだ。

また、ある時、亡くなった伯父の葬儀で両親の田舎に行くと、一年前のちょうど同じ日に夢で見た畑の風景に出くわしたという。夢では、その畑にブドウのように鈴なりのビワが生（な）っていたが、現実ではそれはブドウだった。また、夢では途中でかっぽう着のおばさんが、怒鳴（どな）って付いてきたという。これらには夢解きの観点では意味があり、ビワは「凶兆」、怒鳴っているのは「警告」を表しているという。つまり、「伯父の葬儀で田舎に行く」ことを夢が知らせていたということだ。

このように、読み解きの補助は必要ではあるものの、ある意味で非常に精度の高い「予知夢」を先生は見ていたわけだが、その中でもたつき先生が世間の注目を集めるに至らしめたエピソードが、「3・11の予知」だ。

このエピソードは、たつき先生が引退を決め、最後の単行本を編集していた一九九九年に遡る。一九九八年九月を最後に執筆を休止していたたつき先生は、引退にあたって過去の読み切り作品を編集した『私が見た未来』を一九九九年八月に刊行した（ちなみにこの作品中には、前述した予知夢のエピソードも記載されている）のだが、締め切り直前まで表紙案で悩んでいたたつき先生は、いよいよ締切が翌日に迫った夜、奇妙な夢を見る。それが、「一九九九年の災害は小規模に、そして大災害は二〇一一年三月に」(同前)というものだった。

かなり物騒な夢であり、またあまりにも大胆な「予言」になってしまうため、編集者は採用を嫌がっていたようだが、結局、締め切りに間に合わせるべくその夢のメッセージ「大災害は二〇一一年三月」を表紙に書いて、最後の単行本『私の見た未来』は出版された。

それから一二年後の二〇一一年三月一一日、皆さんもご周知の通り、日本に未曽有の大災害が襲いかかった。「東日本大震災」である。死者、行方不明者合わせて二万数千名、津波は高さ一五メートルの防潮堤をも超え、岩手、宮城、福島の沿岸のいくつもの町が壊滅した。各地で地割れや土砂崩れが発生し、道路、鉄道は何ヵ月もの間寸断された。

そして、最悪の事態も起きた。海岸沿いにあった福島原発で津波の浸水から電力が停止し、原子炉が水素爆発を起こしたのである。人類史上最悪と呼ばれたチョルノービリ(チェルノブイリ)原発事故に匹敵する大惨事に、世界中が震撼した。放射性物質の飛散によって広範囲にわたる住民が避難を余儀なくされ、さらに震災難民が受け入れ先で差別的な扱いを受ける、農畜水産物が風評被害で売れないなど、甚大な社会的・経済的ダメージも発生した。

しかし、たつき先生がこの時、世間から大きく注目を集めることはなかった。一九九九年に夢で予知した大災害が発生時期までピタリと的中して起きたのだから、普通なら大騒ぎになるだろう。しかし、ごく一部の元ファンなどがインターネット上で騒いだほかにはＳＮＳ上でバズ（話題になり多くの人の注目を得ること）ったりメディアが取り上げたりすることもなく、すぐに鎮静化した。なにより、予言の張本人であるたつき先生自身が、自分で書いたことすら忘れていたという。知人に言われて初めて気付いたものの、「予言が当たりました！」などと名乗り出ることもせず、その後も粛々（しゅくしゅく）と日常生活を送っていたのだ。

過去に出版した作品にしっかり「証拠」が残っているのだから、ちょっと下心のある人なら「自分の予言は当たった！」と触れて回りそうなところだが、たつき先生は非常に慎み深く、優れた人格をお持ちなのだろうと思う。

そもそも、「二〇一一年三月」のことを書いたのもこの警句によって読者が警戒・注意することで実際に何か災害が起きた時に命に関わる被害が少しでも減れば、という思いからだったという。自分の見る「予知夢」というものを過信し喧伝するのではなく、あくまで「起こり得る危機」に思いを致し備えてもらえれば、という一心であったのだ。私がたつき先生の予知夢に重大性を見出したのも、その人となりと志が信頼に値する、尊敬すべき方であるとお見受けした点が非常に大きい。

さて、実際に「東日本大震災」が発生して以降もしばらくは大きく注目されることなく静かに日常生活を送っていたたつき先生だが、ある時突然、世間の注目が集まることとなる。きっかけは、新型コロナウイルスが世界的に猛威を振るった二〇二〇年、ある民放のオカルト・ミステリー系バラエティ番組で「東日本大震災を予知した漫画家」として紹介されたことだ。

表紙の一部は隠されていたものの、見る人が見ればすぐたつき先生のあの本とわかったのだろう。親類から「こんなに騒がれているよ」と連絡を受け、本人も初めて大きな話題になっていることを知ったという。

それでも、やはりたつき先生は自ら名乗り出ることはせず、事態を静観することにした。元々功名心で予知を披露したわけではない先生にとって、世間の騒ぎは雑音以外の何物でもなかったのだろう。しかし、たつき先生がそう思っていても世間の方が先生を放ってはおかなかった。

やがて話題が沸騰すると、本人が出て来ないことをいいことに、騒ぎに乗じて〝なりすまし〟が登場し、次々とでたらめな予言を始めたのだ。テレビで話題になった翌年の二〇二一年にはオカルト雑誌などにも偽物（にせもの）が登場し、あることないことをでっち上げて、予言者のごとく振る舞うようになった。

「たつき諒」がデタラメの予言で世の中に混乱のタネを蒔（ま）いている、と危機感を感じたたつき先生は、自分の予知夢がどのようなものか、それを発信した真意がどこにあるかを伝えるべくある出版社に連絡を取り、本人であることを名乗り出て偽物の封じ込めに動き出した。その縁がきっかけとなり、刊行されたのが先述した『私が見た未来 完全版』というわけだ。

この「完全版」の内容は、一九九九年発売の「オリジナル」に収録された作品の再掲載と、夢日記に関する本人の解説、そして「オリジナル」には未収録だった先生のミステリー・ホラー系の作品の収録という、いわゆる「再構成」的な内容となっている。だが、単なる「焼き直し」に留まらない、私たちが特に注目すべき、重大な内容が盛り込まれているのだ。

本当の大災害は、二〇二五年七月に

いよいよ、最も恐るべき内容に入って行こう。実は一九九九年発売の「オリジナル」には、漫画の本編中に震災に関する夢日記の描写はなく、巨大な津波が到来する夢のみが描かれていた。「東日本大震災」との関連で言えば、表紙に書いた「大災害は二〇一一年三月に」という夢だけが関係していたのだ。

ここで注意したいのは、一九九九年の「オリジナル」版の作中で、津波の夢についてたつき先生は「二〇一一年三月のこと」とも「大地震によって到来する」とも一言も言っていなかったという点だ。あくまでタイトルの「大災害は二〇一一年三月に」と作中の大津波の描写によって、「東日本大震災」を予知したと「読者がとらえた」にすぎない。

もちろん、夢日記には読み解きが必要であるから、こうした因果関係の解釈は決して不自然なものではないし、実際に二〇一一年三月に大地震が起き、それに伴って大津波も到来しているという意味で予知夢は的中している。

しかし、二〇二一年刊行の「完全版」で先生が明かした夢日記の解説では、その津波の夢は「東日本大震災」によるものかどうかはわからない、と語っている。なぜなら、「東日本大震災」は冬だったが夢の中の自分は夏服で、さらに夢で到来した津波は現実の「東日本大震災」のそれよりはるかに巨大な津波だった、というのだ。

そしてたつき先生は、この「巨大津波」に関して新たな予知夢（と思われる夢）を見たことを明かしている。それは、これまでで最も衝撃的な内容であった。どのようなものなのか、たつき先生の言葉をお借りしよう。

私は空からの目線で地球を見ていて、（中略）突然、日本とフィリピンの中間あたりの海底がボコンと破裂（噴火）したのです。

その結果、海面では大きな波が四方八方に広がって、太平洋周辺の国に大津波が押し寄せました。その津波の高さは、東日本大震災の三倍はあろうかというほどの巨大な波です。

その波の衝撃で陸が押されて盛り上がって、香港から台湾、そしてフィリピンまでが地続きになるような感じに見えたのです。

（たつき諒著『私が見た未来　完全版』飛鳥新社）


この夢を見たのは、新刊を出版する直前の二〇二一年七月五日　午前四時一八分のことだったという。そして実は、この夢を見たのは初めてではないというのだ。たつき先生は、現役時代の一九九八年、インドに旅行に行ったのだが、その時いくつもの不思議な体験をした。その詳細はここでは割愛するが、実は

その滞在中にも同じようなビジョンの大災難の夢を見ていたのだ。そして、たつき先生はさらに衝撃的なことを告げた。二〇二一年七月に見た夢では、その災難が起きる「年と月もしっかりと」見たというのだ。

――その災難が起こるのは、二〇二五年七月です。（同前）

そう、たつき先生が『私が見た未来』で描いた大津波の夢とは、これから起きるであろう未曽有の大災害のことを指している可能性が高いのだ。七月なら、夢の中の自分が半袖姿の夏服であることとも符合する。津波の高さが「東日本大震災」よりも大きいこととも つじつまが合う。

たつき先生の夢は、「これから大災害が起こる」と告げており、それに最大の注意を払えと警告しているのである。

ここで、もう一つ重要な点にもあえて言及しておきたい。それは、「先生が夢を見た日付と実際に出来事が起きた日付が不思議なまでに符合している」という点だ。フレディ・マーキュリーの死も、ダイアナ元妃の死も、デジャヴに関する夢も、どれもが「数年後、夢を見たのと同じ日付、あるいはかなり近い日付」に起きているのである。いずれも後からつじつまを合わせたのではなく、それぞれ出来事が起きた後に夢日記を確認してみると、不思議なことに日付が符合していたのだ。そう考えると、〝夢を見た日付〟は未来予知の重要な情報足り得るというわけだ。

そして、新たに見たという夢は「二〇二一年七月五日午前四時一八分」のことだったという。先生がおっしゃる通りに考えるなら、二〇二五年七月という「期間」が大災害到来の危険性が高いわけだが、夢を見た日付も考慮すると、最も注意すべきは「二〇二五年七月五日午前四時一八分」ということになるのではないか。

さて、もしこの夢が現実のものとなれば、それは想像を絶する被害を日本にもたらすだろう。「東日本大震災」では、一部で三〇メートルを超える津波が発生したという。一五メートルあった防潮堤を乗り越えたという話もある。もし、本当にその三倍ほどもある津波が来るのならば、平均して六〇メートル程度、最大では九〇メートルもの超巨大津波ということになるだろう。その圧倒的な破壊力がもたらす被害想定については後に触れるが、太平洋沿岸の大都市は軒並み壊滅し、そのダメージは一〇年単位の長期に亘るだろう。

それだけではない。たつき先生が夢で見る通りであれば、フィリピン、台湾、ベトナム、シンガポール、インドネシア、ブルネイ、さらに中国沿岸部にも甚大な被害をもたらすだろうし、ポリネシアの島々、オーストラリア、ニュージーランドにも影響はおよぶだろう。さらに、アメリカの西海岸（シアトル、サンフランシスコ、ロサンゼルス、サンディエゴ）やメキシコ、チリにも大きな津波が到来することになる。これで多くの国々で港が使えなくなれば、世界の物流はその瞬間に「心肺停止」状態に陥る。食糧やエネルギー、生活必需品の輸出入が滞（とどこお）れば、いずれの国でもパニックが起き、社会は大いに混乱することとなる。それがどのような事態を招来（しょうらい）するのか、想像するのも恐ろしい話だ。

ただ、たつき先生によれば、その大災害は絶望ばかりではない。再び先生の言葉をお借りしよう。

気になるのは、二〇二五年七月に起こる大津波の後の世界についてですが、私には、ものすごく輝かしい未来が見えています。

大地震による災害は、とても悲惨でつらいものです。でも、地球自体がマグマという熱エネルギーを抱えて生きているわけですから、どうしても避けられないものなのでしょう。それを覚悟した上でみんなが協力し合えれば、必ず生きていくことができます。（中略）

準備ができていれば被害は少なくてすむとはいえ、それなりの被害は避けられません。

でも、そのとき仮に地球の人口が激減したとしても、残った人たちの心は決して暗くならないでしょう。

心の時代の到来、つまり心と魂の進化が起こるからです。（中略）

二〇二五年七月の大災難が去ったあとには、心の時代がくると信じたいです。みんなが助け合い、協力し合って、あらゆるものごとがプラスの方向に進んでいく世界。本当の奇跡とは、心が変わることです。

大切なのは、自分自身が生きのびることです。

（たつき諒著『私が見た未来　完全版』飛鳥新社）

現代の文明社会に危機的な打撃を与えかねない大災害の後には、人間の価値観の大きな変容が訪れ、それが人類を新しいステージに進めて行くというビジョンが、たつき先生には見えているのだ。現在のような、効率を追い求め、経済的、物質的な豊かさに重きをおき、他者を蹴落（けお）とし権力や富をつかむ者が勝者という価値観は、確かに大災害による文明存続の危機というような、すさまじいインパクトによって崩壊するのかもしれない。

「二〇二五年七月に世界が変わる」

ここまで、たつき諒先生の「予知夢」について見てきた。衝撃の未来が私たちの目前にまで差し迫っている可能性があるわけだが、実は「二〇二五年七月」が大きな分岐点になるということについては、たつき先生以外にも指摘している人がいるのだ。

「SHOGEN」氏もその一人だ。最近、「You Tube」を中心に一部の人たちから高い注目を集める男性で、ペンキ画家を生業としている。彼がなぜ、注目を集めているのか。それは、彼が絵描き修業の旅先で経験した、不思議な話に多くの人々が魅了されているからだ。SHOGEN氏は、大学卒業後に大手化粧品会社に勤務していたが、ある日ふと立ち寄った雑貨店でタンザニアのポップアート「ティンガティンガ」に魅了され、自らティンガティンガを描くことを決意する。ティンガティンガとは、タンザニアの画家エドワード・サイディ・ティンガティンガが生み出した絵画手法で、元々は建築資材にエナメルペンキで絵を描いたところから始まっている。専門教育を受けていない素朴な手法が評価されており、サル、ヘビなどの身近な動植物や自然が多く描かれ、色の鮮やかさ、そして発色の美しさ、自由な作風が特徴だ。

さて、ティンガティンガとの衝撃の出会いを果たしたＳＨＯＧＥＮ氏は、すぐさま行動に出た。即日、勤め先に退職願を出し、絵画修業のため二〇一四年七月に単身アフリカに渡ったのだ。所持金、わずか一〇万円。語学もコネもまったくない中で、なんとかタンザニアのアーティストに弟子入りを果たす。「村人と一緒に生きながら絵の修行を許された唯一の外国人」として研鑽（けんさん）を積んだ。日本に帰国後もアーティスト活動を続け、スターバックスでの個展や地元の子供たちとのライブイベント、新聞・雑誌・テレビなどのメディア出演のほか、YouTubeも大いに話題になっている。

しかし、現在ＳＨＯＧＥＮ氏が注目されているのは、アーティストとしてと言うより修業中のタンザニアで経験した不思議な話のためだ。ＳＨＯＧＥＮ氏は、首都機能のあるダル・エス・サラームの北西にあるブンジュ村というところに滞在していたのだが、人口二〇〇人ほどの小さな村で周囲の村々からもちょっと変な村として見られていたという。SHOGEN氏は、その村を訪れた初めての外国人だったというのだが、不思議なことにその村には日本人の文化や価値観が色濃く反映されていたそうだ。

そして、その不思議な村でさらに不思議なことが起きる。日本からきたSHOGEN氏に対して、その村の七〇歳くらいの村長がこんな話をしたというのだ――「自分のおじいちゃんは今から一二〇～一三〇年前に生きていたが、村のご祈祷やご神事などを行なうシャーマンだった。そのおじいちゃんは、ある時夢の中で日本人から大事なことを教わったのだ。人が生きて行く中でどうしたらよいのか、自然と共存して行くにはどうすればよいのか、皆が幸せに歩んで行くためにはどうしたらよいのか。そういう、生きて行く上で本当に大切なことを、その日本人からすべて習った」と。

SHOGEN氏は、ちょっと揶揄(からか)われているのかとも考えたようで、村長に

「どんなところに住む日本人だったのですか？」と聞いたそうだ。すると、こんな答えが返ってきたという――「その当時の日本列島に住む人たちは、皆穴を掘ってそこに家を建てて住んでいた。その穴の中に入って座ると、自分の目線がアリンコと同じ目線になる。つまり大地と同じ目線だ。そして、その人たちは女性や木の実をモチーフにした土器をたくさん作っていた」。

そして、村長からはほかにもこんな話をされたという――「その日本人がすごした時代は、一万〜一万五〇〇〇年続いた。亡くなった人に争いの傷がない、すごく愛と平和であふれた素晴らしい時代だった」。

穴を掘って家を建てるのは、竪穴（たてあな）式住居の特徴だ。女性や木の実をモチーフにした土器とは、おそらく土偶（どぐう）が一番近い。また、縄文時代は一万年以上続いたとされ、極めて平和で争いのない時代であったと考えられている。発掘された遺体や人骨などを分析しても目立った外傷などが極めて少ないため、争いごとが少なかったことが推定されるのだ。つまり、夢に出てきた日本人とは、縄文時代の人だと考えられるのだ。

さらに、こんなことも教えられたそうだ――「地球の中で、一番大切なのは日本だ。宇宙の中のパワースポットが地球で、地球の中でのパワースポットは日本なんだ」「日本人が世界の中で一番心が豊かで、精神的に先を行っている」。

ＳＨＯＧＥＮ氏は、この話に関連して日本人には優れた特質があると村長から聞いたと話す。自然と対話し、自然に寄り添うことができるという性質だ。ＳＨＯＧＥＮ氏はその著書の中で、私たち日本人は「虫の音」を虫たちの「会話」と想像しながら聞くことができるが、これは実は日本人の特殊な感性・能力であり、脳科学的に言えば虫の音を言語を司る左脳で聞いているためだという。ほとんどの人種・民族は、虫の音を右脳で聞くため単なるノイズとしてとらえるというのだ（注：脳科学分野の研究でそうした傾向が示されることが明らかになっている。ほかにポリネシア系民族の一部にも日本人と同様の傾向が見られたという。もちろん、欧米人などの中にも虫の声を「会話」と表現する作家などがいるように、個人差による部分も大きい）。

さて、アフリカの小さな村に縄文時代の日本人とおぼしき者から教えを受け、それを参考にして日本文化や価値観を色濃く反映した生活を送る人々がいることも衝撃だが、この話にはさらに衝撃的な続きがある。ＳＨＯＧＥＮ氏は、村長からこんなことを告げられたというのだ。

――「二〇二五年七月に世界が大きく変わる」

何が起きるのか、それによって人々がどんな目に遭うのかは語られないものの、「二〇二五年七月に世界が大きく変わる」出来事が起きるというのだ。そして、世界が変わった後には、皆が協力し合って生きて行かないといけない時代、そして皆で生きて行くことの素晴らしさを実感できる時代が来るという。さらにその時、

――「人々はふるいにかけられる」

とも告げられたそうだ。どういうことかというと、たとえばお金、名誉、地位といった、現代人が重きをおく価値観が崩壊し、そうしたものにすがって生きてきた人たちはこれから先、生きて行けなくなる時代が来るというのだ。

村長は、そうした時代を生き抜くために変えるべきこと、備えるべきことを話したという——「そうした時代が到来するまでの間に、どうしたら人間らしく生きて行けるのか、自然とどう向き合って行けばよいのかを真剣に考え直すことが重要だ。さらに、心でつながり合えるコミュニティを作っておくことが必要で、皆が『血がつながっていない家族』のように生きて行く必要がある」。

ブンジュ村の村長の教えは、そこから心や精神が重要な時代になること、そして日本人には元々その気質が備わっていたことに話が移って行く。たとえば、村長の祖父が夢で見た日本人（縄文時代の日本人）は、皆人間らしさ、人との心のつながりを重視して生きていたと。二〇二五年七月に世界が大きく変われば、日本はそうした本来の姿に戻って行くのだと。

人が協力し合う重要性については、こんな話もあったという。ある日、村長が「ＳＨＯＧＥＮ、君は発達障害だ」と言った。何のことかと続きを待つと、「私も発達障害だ」という。ますますわからないのだが、こういうことだった。「世界中の皆、誰もが発達障害だ。すべて完璧にできる人間など一人もいない。皆凸凹で、できることとできないことがある。だからお互いできることを持ち寄って、協力し合うことが重要なのだ。そうして皆で生きて行くと、それがいかに幸せなことか、豊かなことかを知ることになる。人間は、そうしたことを学ぶために凸凹にできているんだ」。

また、自然に寄り添うことについて、村長はこんな話もしたそうだ。「日本人（縄文時代の人々）は、元々土とも木とも葉っぱとも、葉っぱの雫とも話をしていた。自然に話しかけ、自然と心を通わせ、自然を敬い、大切にしてきた。しかし時代は変わり、今の人々は物質的な豊かさを追い求めるようになった。その結果、人々がどうなったか。豊かさの追求で行き着いた先は、自然破壊・環境汚染から来る肉体や精神の分離や乖離だ。うつ病や精神病になる人がたくさん出て、自殺する者も増えた」。

ＳＨＯＧＥＮ氏は、皆が協力し、自然を大切にするブンジュ村の人々と共に生活し絵を学ぶ中で、村長が伝えた人として大切にすべきものを今、さまざまなところで発信している。それは、彼にとって絵を描くことと同等、あるいはそれ以上に重要な使命だというのだ。

さまざまな証言が同じ時期を指し示す〝奇妙な符合〟

すでに読者の皆さんもお気付きだろう。たつき諒先生とＳＨＯＧＥＮ氏の話は、奇妙なまでの符合を見せている。単に、「二〇二五年七月に何か大きなことが起きる」というだけではない。その後、世界は大きく変わり、人々もそのありようが大きく変わるというのだ。「心の時代」「皆が協力する必要」「自然に寄り添う」――現代人が失い続けている、そうした要素がかつてなく重要になるというのだ。それほどの変化とは、果たしてどのようなものなのだろうか。

ここから先は、オカルト的な側面がかなり色濃くなるため、割り引いて読み進めていただきたいのだが、実はこの両氏のほかにも「二〇二五年七月」に何かが起きることを指し示す〝予言〟がいくつもあるのだ。

アメリカの先住民族であるホピ族には、「四つの世界」と呼ばれる神話がある。神話によれば現在の世界は「第四の世界」で、世界はすでに三回絶滅を経験しているという。一度目は「炎」で、二度目は「氷」で、三度目は「大洪水」によって絶滅した。地球の歴史を振り返ると、一度目は「火山噴火」、二度目は「氷河期の到来」、三度目は「ノアの箱舟」を指し示していると考えられるのだが、この神話によると現在の「第四の世界」が、もう間もなく終わりを迎えるというのだ。

その予兆は、「青い星が落ちてくる」というものだ。これは、近い将来完成すると言われる「宇宙ステーションの墜落」とも「隕石（いんせき）の衝突」とも言われている。これによって現代の人類文明は絶滅し、新たな時代が到来するとされている。

科学ジャーナリストで日蓮宗僧侶で立正大学客員教授の高野誠鮮氏は、羽咋（はくい）（能登）市役所時代にホピ族をはじめとした先住民族の首長たちと話をする機会があったという。彼らは、彼らの神話が告げる未来を伝えるため、日本の特別な場所を極秘に訪れている最中だったという。その時伝えられたのが、「二〇二五年、青い星が接近する」というものだったそうだ。

また、同じくアメリカ先住民族のナバホ族の長老にインタビューしたあるジャーナリストは、「二〇二五年は『ポイント・オブ・ノーリターン』（引き返せない重要な点）の年になる」と告げられたという。そして、「わたしは海岸から離れるように警告されました。なぜなら、水没するから」とも語った。

このように、アメリカ先住民族の伝承には「二〇二五年」が数多く登場し、さらには「星」「水没」といったキーワードが出てきているのだが、これにもつながって行く、さらに衝撃的な話もある。

最先端の宇宙研究を行なうＮＡＳＡが、膨大な天体観測データとシミュレーションから「近い将来、隕石が降って来る可能性がある」ことを指摘しているという。なんとそれが二〇二五年七月五日で、フィリピン海に隕石が衝突するというものだ。理論物理学者の保江邦夫氏が、極秘ルートからの情報ということで明かしている。「ＮＡＳＡに関する極秘情報」と言いながらネットでも扱われている情報なのだが、この情報自体はＮＡＳＡが公表しているわけでも公認しているわけでもないため、かなり疑ってかかった方がよい類の情報ではある。ただ、これがもし本当であれば、たつき先生が予知夢で見た大津波とも完全に符合する。フィリピン海に大きな隕石が衝突すれば、東日本大震災を凌ぐ巨大津波が発生しても何らおかしくはないだろう。

いずれの情報も、若干「オカルト」や「都市伝説」の類のようにも考えられるのだが、しかしこうした話をまったくもって否定することはできない。特にＮＡＳＡの宇宙研究に関する情報は、十分に可能性があるとも考えられる。

なにしろ、隕石衝突のリスクは、そう頻繁には起きないものの、ひとたび起きれば文明崩壊に直結する重大なものとなる。そのため、近年ではその研究の重要性が指摘され、隕石飛来についての研究が盛んになっている。隕石の軌道は精密なシミュレーションが可能であり、地球への衝突リスクもかなり正確に計算することができる。ＮＡＳＡは、そうした研究においてもちろん最先端を行っており、隕石衝突の危険性をすでに予見していても何ら不思議はない。

また、二〇二二年一〇月には、小惑星に探査機を衝突させて軌道を逸らす実験に成功したことがロイター二〇二二年一〇月一一日付にて公表されたことからも、そうした危機を回避する方法も模索をしている（ただ、それでも一定以上の大きさの隕石になれば、探査機程度で軌道を変えることは到底できない。現状では、巨大隕石が飛んできたら落ちるに任せるほかはない）。

隕石落下による文明の危機というシナリオは、荒唐無稽（こうとうむけい）なようでいて、実は「かなり現実的なリスク」と言えるだろう。

人類の歴史は〝天災の歴史〟だった

現在、地球の人口は八〇億人を超えている。これほどまでに「大繁殖」したのはここ二〇〇年ほどのことで、一九二七年には二〇億人、さらに遡って一八〇四年には一〇億人程度しかいなかった。

産業革命を契機に食糧生産、医学、公衆衛生が発達し、若年死が減って寿命が延びたことがその大きな要因だが、もう一つ見逃せない点が「天災」の少なさだ。地球と人類という視点に立った場合の天災とは、人類絶滅の危機であるとか、文明崩壊であるとか、それまでの社会が完全にひっくり返るとか、そういうレベルの天災のことである。

数億年前、地球上の覇者（はしゃ）は〝恐竜〟であった。しかし、ある時劇的な気候変動に見舞われ、恐竜は絶滅した。その原因は小惑星の衝突とも、巨大火山の噴火とも言われるが、いずれにしても温暖で安定的だった地球環境が激変したことで、恐竜は環境に適応できなくなったのだ。時に自然は、その時代の覇者ですら簡単に絶滅させるほどの巨大な力を持っている。

人類も、その痛烈な洗礼を受けて幾度も危機的な状況に陥っていたことがわかっている。たとえば、インドネシアのスマトラ島にトバ火山という、最大長一〇〇キロメートルという超巨大火山がある。現在はカルデラ湖になっているこの火山は、七万～七万五〇〇〇年前に破局噴火を起こし、膨大な火山灰が噴出して日光を遮断し寒冷化を引き起こしたとされている。この時、数千万人は居たと推定される人類は、わずか数千人にまで激減したというのだから驚きだ。

生物の遺伝子は時間経過と共に変化して行くとされるが、最新の遺伝子研究によれば、八〇億人いる現在の人類の遺伝子情報は異常に均質であるという。これは一体、どういうことか。現生人類のホモ・サピエンスは四〇万～二五万年前に誕生したが、そこからの時間経過で推定される遺伝子の多様化に比して、今の人類の遺伝子は「均質すぎる」というのだ。そして現代人の遺伝子の均質さから逆算すると、七万四〇〇〇年ほど前には数千人ほどしかいなかったと仮定するとつじつまが合うのだ。これは、トバ火山の時期とぴったり符合するものであり、そこで人類はいちど滅亡寸前まで行ったと推定されるのだ。

人類絶滅というまでの危機ではないが、天災によって当時最先端の文明が滅びたという事件もある。エーゲ海に浮かぶサントリーニ島は、三日月のような形の風光明媚（ふうこうめいび）な島だ。実はこの島は火山島で、今から約三六〇〇年には海底火山が大爆発している。「ミノア噴火」と呼ばれる大爆発によって、エーゲ海一帯はすさまじい被害を受けた。発生した津波の最大波高は九〇メートルとも一〇〇メートルを超えるとも言われ、数日間で幾度もの津波が襲ったという。旧約聖書の「出エジプト記」には、モーセがユダヤ人を率いてエジプトから脱出するエピソードが描かれているが、その時出てきた「海が割れる」あのシーンは、ミノア噴火の際に起きた〝津波〟が元になっているという説もある。

壊滅的な噴火によって大打撃を受けたとされるのが、クレタ島で栄えた「ミノア文明」だ。地中海交易で繁栄し、青銅器を用いた高度な技術を持つ文明だったが、紀元前一四〇〇年頃に滅亡した。最新の研究では、ミノア噴火が直接の原因ではないことはわかっているが、社会が高度に成熟し自然環境の破壊も深刻であったこと、噴火からわずか数十年後に文明が滅亡したことを考えると、噴火が文明に致命傷を与えたことは想像にたやすい。

時代が下っても、天災が社会を大きく変革させる原因となった例はある。一八世紀後半から一九世紀にかけて、ヨーロッパ社会は封建制から民主制に大きく様変わりして行った。その契機となるのが、一七八九年の「フランス革命」

だ。〝絶世の美女〟と名高い王妃マリー・アントワネットが、飢える群衆に「パンがないならケーキを食べるがよい」と言い放ち、やがて王政に反発した民衆が蜂起した、というエピソードが有名だが（彼女の名誉のためにも言及しておくと、マリー・アントワネットはそのような発言はしていない）、その逸話の通り革命の大きな原因となったのは、食糧不足による「飢餓（きが）」である。

そして食糧不足の原因は、一七八三年六月に起きたアイスランドの「ラキ火山の大噴火」だ。アイスランドでは、ラキ火山とその近くのグリムスヴォトン火山の噴火により、住民の二一％が飢饉で死んだという。ヨーロッパ大陸にもその影響はおよび、大量に噴出した二酸化硫黄によって数万人が亡くなったという。噴煙の霧が濃いため船が出航できず、太陽光は遮（さえぎ）られて「血の色」になった。フランスでは一七八五年から食糧不足が連続、さらに一七八八年には猛烈な嵐が起き、農作物は大打撃をこうむった。こうして貧困と飢饉は極限に達し、封建制度の崩壊が引き起こされたのである。ラキ火山が噴火しなければ、マリー・アントワネットが断頭台の露（つゆ）と消えることもなかったのだ。

このように見てみると、現代の環境がいかに平穏であるかがよくわかるだろう。しかし、そんな平穏な状況がいつまでも続くなどと楽観していてはいけない。大地震や大噴火は、統計的に見れば一定期間に高い確率で発生するものだ。そうした事態がしばらく起こっていないということは、近い未来に破局的な天災がやって来る確率はどんどん高まっているということである。したがって、先述したような「大津波」「大噴火」「隕石衝突」などの天変地異が起きる可能性は、平穏な時を重ねるごとに高まっていると考えるのが自然だろう。

「未来予知」は、果たして荒唐無稽なオカルトなのか？

このように、私たちはいつ天変地異に見舞われ、滅亡までは行かないまでも文明存続の危機にさらされたとしてもまったくおかしくないことは明らかである。ただ、だからと言って未来予知が信じられるのかは、また別の話だとお考えの方も多いのではないだろうか。ここで少し立ち止まって、こうした未来予知に疑いの目を向けてみたい。

そもそも私は、オカルト的な話が好きなわけでも、こうした話を頭ごなしに信じているわけでもない。どちらかと言えば批判的、否定的な立場と言ってよい。当然、未来予知に関しても今まではかなり疑念を持って見てきた。かつて大きな話題になった未来予知が軒並み当たったためしがなかった、というのもその理由だ。

二〇世紀末に大ブームとなった「ノストラダムスの大予言」では、「一九九九年七月に恐怖の大魔王が空から降って来る」とされたが、結局何も起きなかった。逆に、予言を信じた人たちが集団自殺するなど、重大な社会問題を一部で引き起こした。また、「マヤ暦の予言」というものもあった。マヤ文明は高度な技術を保持しており、天体観測に基づいた精度の高い暦を持っていた。その技術がどこからきたのかはいまだ謎だとされているが、この「マヤ暦」は二〇一二年一二月二一日で突然途切れている。これが、「高度なマヤ文明が予知する世界の終わり」とされたのだ。しかし、結果は周知の通り、何も起きなかった。

そこから敷衍（ふえん）すれば、今飛び交っている「二〇二五年七月」の予言もまったくの見当違いだと言うこともできるだろう。しかしながら私は、この予測を一笑に付（ふ）すことも、油断することも、今回に関しては危険だと考えている。

人間も動物であり、「第六感」とでも言うべき、理屈では説明しきれない感覚を持っていると考えられる。たとえば地震や噴火といった大災害から天候の急変など、自然の変化に対して動物や昆虫は極めて敏感に察知し、反応する。悪い出来事の前に何か予感がすることを「虫の知らせ」と言うが、まさに虫はそれほど敏感ということだ。地震の前にナマズが暴（あば）れる、などと言うのもそれだろう。人間の中にも、そうした感覚が鋭敏な人というのは一定数いる。歴史を振り返れば、そうした鋭敏な感覚を持つ人たちが未来予知を行ない、やがて「シャーマン」や「巫女（みこ）」として神事を司るようになった。

また、そこまで鋭敏な感覚を持ち合わせていなくても人間が「何かを感じとって未来を知る」ということは、古来信じられてきた。平安時代には、見た夢が天からのお告げだと考えられ、その夢を読み解く「夢解き」という職業があった。現在では夢は自分の経験や記憶からの影響とされるのが通説だが、たつき先生の例からも明らかなように、それだけでは説明しきれないことも多い（むしろ、その方が多い）のが夢である。心理学でも、人間には「集団的無意識」と呼ばれる、集団や民族、さらに人類の心の中に普遍的に存在する無意識領域があるとされ、こうした部分が夢やさらには未来予知に大きな役割を担っている可能性がある。

私たちは科学技術全盛の、物質的な豊かさにすっかりまみれた生活を送っているため、こういう「説明がつかない」事柄をどうしても軽視しがちだ。しかし、人間が「何となく感じている」危機感というものをないがしろにしてはいけない。実は非常に重大な情報を、自分が認識していない何らかの形でつかんでいる可能性があるからだ。そして鋭敏な人たちは、それをより明確に察知し、「予言」の形で私たちに警鐘を鳴らしているのだとすれば、私たちはその声に大いに耳を傾けるべきだろう。

経済の専門家たちも指摘する「日本の危機」

さて、私が折に触れて実際にお会いする方々の中にも、「二〇二五年の危機」あるいは「直近のリスク」として重大な出来事が起きる可能性に言及する方が増えている印象がある。私は、経済のトレンドにとても関心があり、その分野の専門家や関係者からお話を聞く機会が多いのだが、最近では彼らからもこうした話が出るようになった。

特に驚いたのは、二〇二四年の年初に聞いた情報だ。国内最大手の信用調査会社のＮ氏は、企業分析や経済トレンド分析に優れた手腕を持つ人物である。私は長年その分析を参考にしているのだが、先日そのＮ氏が、ある出版社の編集局長との面談で開口一番「富士山噴火が起これば、重大な経済リスクになる。二〇二四年と二五年は富士山に注意した方がよい」という話をしたという。Ｎ氏はこういう話をめったにしない。たとえば典型的な日本経済のリスク要因である「日本の財政危機問題」についても、非常に慎重に中立的なスタンスで話をするような人であった。それが急に「富士山噴火」を指摘したのである。N氏がある特殊な筋から何か重大な情報を得ているのか、あるいは何か直感的なものが働いたのか定かではないものの、N氏がこういう指摘をすること自体に、重大な意味があると考えざるを得ない。

また、まったく違う切り口ながら二〇二五年の危機に警鐘を鳴らす人物もいる。私が敬愛する経済ジャーナリストの浅井隆先生もその一人だ。一五年以上前から浅井先生は日本の「四〇年周期説」を唱えてきた。近代以降の日本の歴史をたどると、国家の盛衰や経済のトレンドに「四〇年単位の大きな周期が存在する」というものだ。

日本の近代の始まりは一八六八年の明治維新とされるが、その直前の一八六五年頃は日本社会がドン底の時期であった。そこから「富国強兵」「殖産興業」を合言葉に急速に近代化、欧米化を進めた日本は、わずか三〇年後の一八九五年には日清戦争に勝利し、さらに四〇年後の一九〇五年には、かの陸軍大国ロシアにも勝利を収めるまでになった。わずか四〇年で、ドン底から極東の一等国家にのし上がったのである。

しかし、当時の日本にとってはここが頂点であった。その後、第一次世界大戦の特需にわくものの、戦後不況、関東大震災、世界恐慌が次々と日本経済に襲いかかった。さらに冷夏による凶作が農村部に壊滅的打撃を与え、日本経済はいよいよ厳しさを増して行った。軍部は海外侵出に活路を見出し、それを世論も支持した。かくして日本は、無謀な対米戦争へと突き進んで行った。そして一九四五年、日本は国家を総動員した挙句に戦争に敗れ、この年の大凶作と相まって食うや食わずのドン底に叩き落とされた。日露戦争勝利の栄光から、ちょうど四〇年後のことである。

幕末以来、再びドン底に叩き落とされた日本は、ＧＨＱの進駐で政治、経済、社会の再編を進めた。戦後のドサクサの五年間を経て、一九五〇年に勃発した朝鮮戦争で特需景気にわき、本格的な経済復興が始まった。東西冷戦の極東最前線という特殊な環境にあって、日本経済はすさまじい勢いで成長して行った。

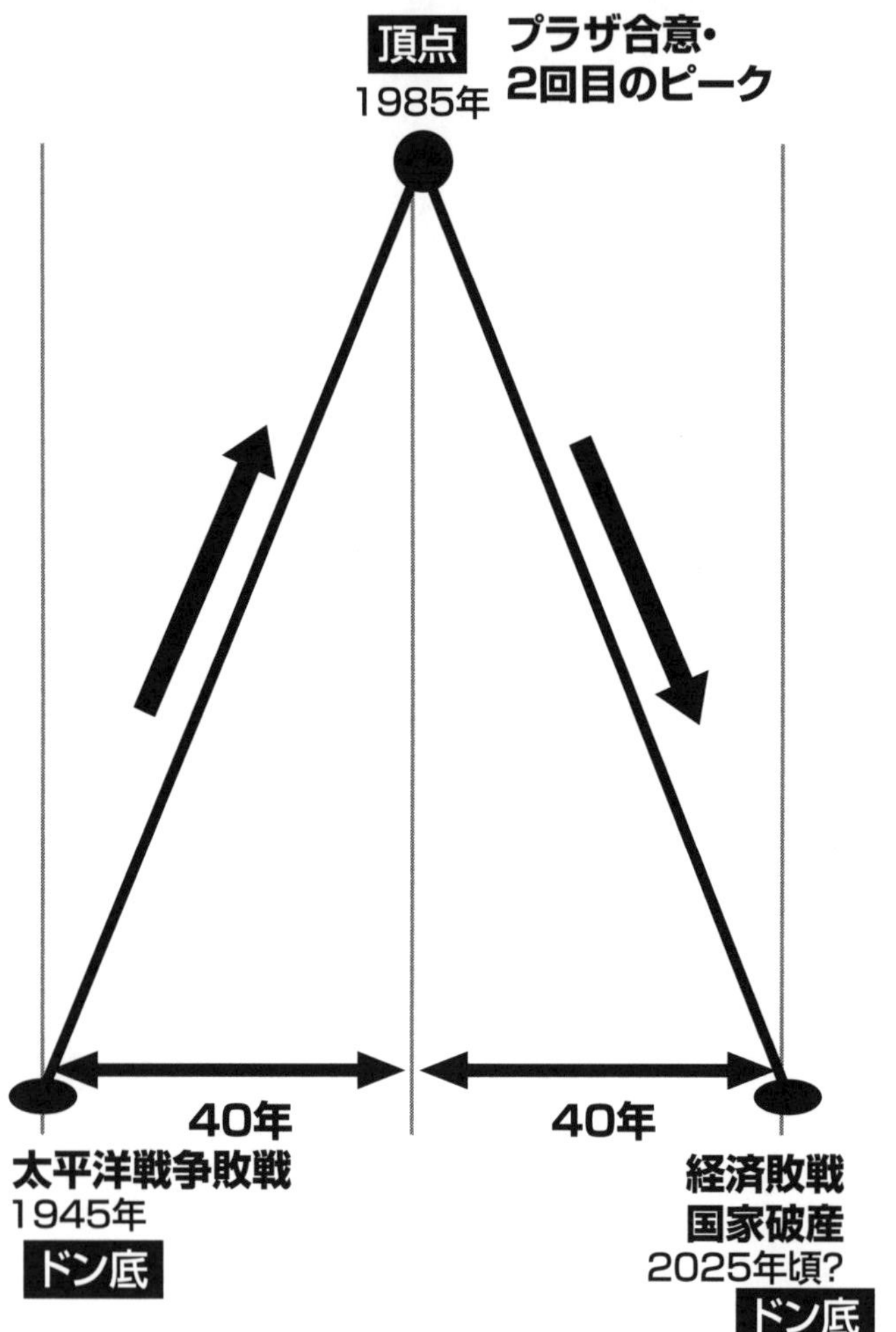
周期で動いている
頂点
1985年
プラザ合意・
2回目のピーク
40年
40年
太平洋戦争敗戦
1945年
ドン底
経済敗戦
国家破産
2025年頃?
ドン底

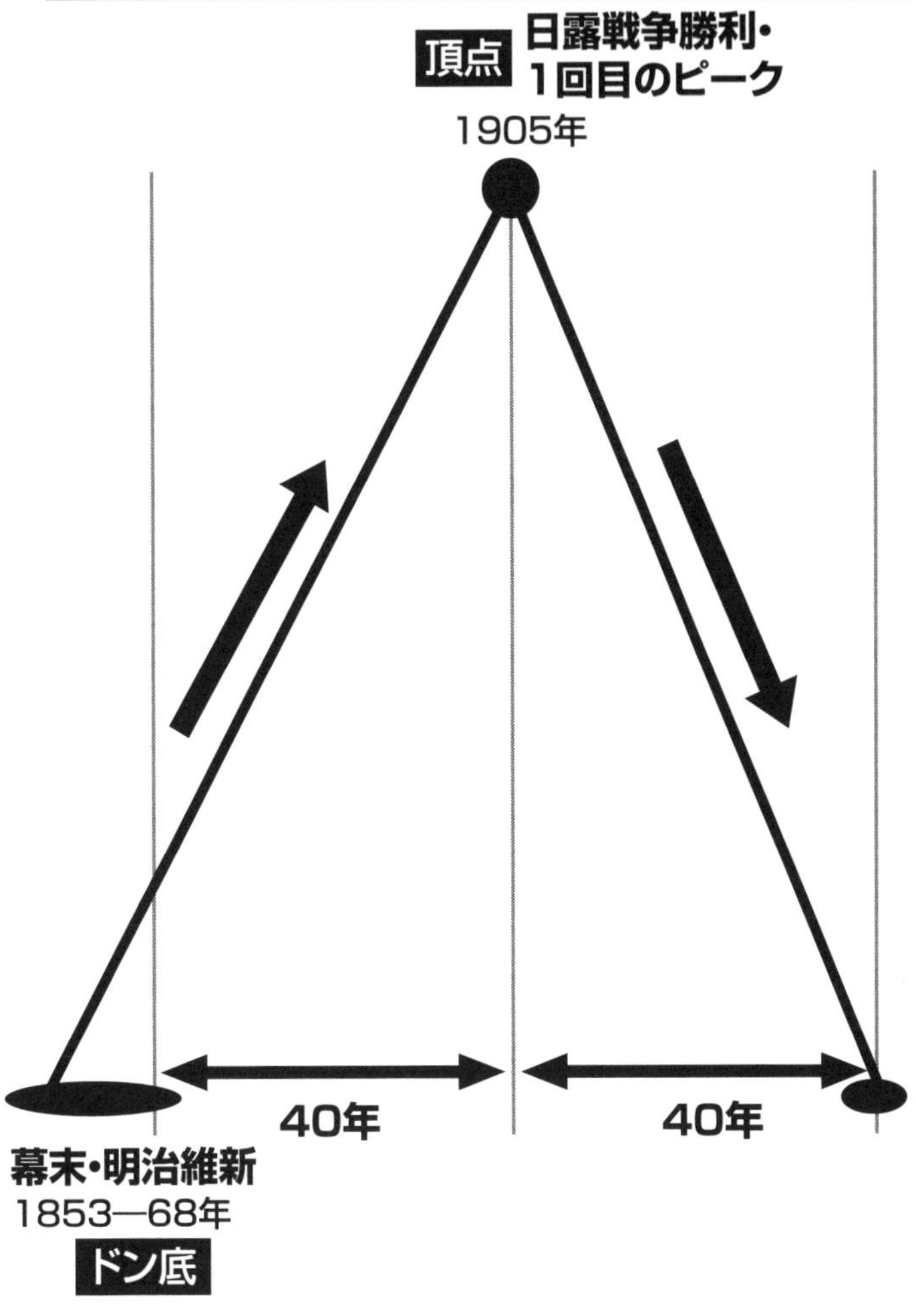
近現代日本は40年（または80年）
頂点
日露戦争勝利・
1回目のピーク
1905年
40年
40年
幕末・明治維新
1853—68年
ドン底

米ソが軍拡競争で疲弊する中、アメリカの核の傘で軍備に費消する必要がなかったことも大きかった。日本は「エコノミック・アニマル」よろしく経済面で一気に世界一を射程圏に収める邁進を見せた。

そして一九八五年、アメリカ経済を救済すべく主要先進国で交わされたプラザ合意に、ついに日本も名を連ねたのである。四〇年前に進駐してきたアメリカに、経済面で救いの手を差し伸べるまでになったのだ。

しかし、再び日本は下り坂を迎える。プラザ合意で急速な円高となった日本は、「バブル景気」となり株、土地が高騰した。「東京二三区の地価でアメリカ全土の土地が買える」などと言われた時代で、振り返れば完全にうぬぼれ、浮かれていた状態である。一九八九年末は日経平均が史上最高値を更新し、日本は完全に「お祭り状態」となった。しかし、それは転落の始まりであった。

翌年からバブルが崩壊し、「失われた三〇年」が始まったのである。政府は金融機関救済のために財政出動し、債務が急激に積み上げり始めたが、やがて少子高齢化による社会保障費の増大が政府債務の主要因にすり替わり、その額は指数関数的に膨張して行った。

このように見て行くと、ドン底の一八六五年から一九〇五年までの四〇年で日本は国力・経済力が上昇し、その後一九四五年の敗戦までにかけて急速に国力が低下した。そしてドン底まで落ちた日本は、一九八五年までの四〇年で再び国力を増大させ、さらにその後現在に至るまで低下し続けている。

この周期に従えば、次のドン底は二〇二五年頃ということになる。その時、どのような事態を迎えるのかは定かではないが、浅井先生はそのリスク要因として「台湾有事・朝鮮半島有事」「東南海・南海地震、首都直下地震」「富士山噴火」を挙げている。そして、これらをきっかけとして莫大な政府債務を抱える日本の財政が破局を迎え、国家破産が到来すると警告している。

長年経済を専門としてきた浅井先生も、地震や火山噴火といった天災のリスクに言及しているというのは、大いに注意すべき重大な点と言えるだろう。今回、本書を執筆するにあたって浅井先生には大きな力添えをいただいているが、その過程で浅井先生にたつき先生の予知夢やＳＨＯＧＥＮ氏のブンジュ村の不思議な話、あるいは都市伝説的な話題などもお話しした。私は「そういうオカルト的な話はやめておいた方がいい」と一笑に付されると覚悟していたが、浅井先生からはむしろ「こうした奇妙な符合の意味を軽んじるべきではない」「当たるかどうかは起きてみなければわからない。しかし、そこは本質ではない。賢明な者、生き残る者は『起きるかどうか』を問題にしない。彼らは『起きたらどうするか』を真剣に考えている」「君は読者に、『賢明たれ』『生き残れ』と問うべきだ」と非常に心強い励ましの言葉をいただいた。

実はほかにも、まったく専門外の方から「近い将来の大きな出来事」については話を聞いており、そのいずれもが世界が大きく変わる可能性を指摘しているのだが、紙幅の都合上、ここでの紹介は割愛させていただく。

日本が人類の未来を握るカギとなり得るわけ

さて、ここで取り上げた情報を総合し、私なりの見解を整理したい。

私は二〇二五年七の月に訪れるのは、やはり「現在の文明を揺るがすような巨大な天変地異」ではないかと考える。そして、それは世界に大きなインパクトを与え、その後の人類のあり方すら大きく変えることになるだろうと見ている。たつき先生の夢に現れた「明るいビジョン」、ＳＨＯＧＥＮ氏がブンジュ村で教えられた「日本人の役割」とは、天変地異によって様変わりした人類社会に日本人が大きな役割を果たす、ということなのかもしれない。

なぜ、日本人がそうした役割を果たし得るのだろうか。私は、それが日本人という人種が長い歴史で培(つちか)ってきた〝思想的な特殊性〟にあると考えている。そして、次の時代はそうした特殊性こそが生き残りに求められて行くのではないか。もちろん、私は選民思想には与(くみ)しない。「中華思想」やヒトラー、ユダヤ、あるいは日本における「八紘一宇(はっこういちう)」のように、日本人が民族的に優れているということが言いたいのではない。ではどういうことかと言うと、ＳＨＯＧＥＮ氏がブンジュ村で教えられた話に通じることだ。

縄文時代の日本人は、一万年以上にも亘って皆が協力し合い、平和に暮らしていたという。それは、人が争い合い奪い合うよりも、理解し合い協力し合う方が生存戦略上重要だったためではないかと考えられる。あくまで私見だが、日本は比較的湿潤で温暖な地域である一方、地震や火山噴火をはじめ、自然災害がほかの地域に比べて多いという、生き残って行く上ではメリット・デメリット双方が共存する複雑な環境下にあった。人間が制御できない困難な自然環境が、平和な社会の形成に大きく影響したように思われるのだ。そして、そうした思想のベースが、次の時代を生きる人類にとって求められるものになるのではないかと考える。

日本人には大天災を生き抜く知恵や心構えが、それこそ遺伝子や無意識のレベルで染み付いていると私は考えている。これは、世界の主要国にはあまり見られないものだ。そのことは、その土地や民族が信仰する宗教を見るとわかる。

どういうことかというと、宗教にはその民族や集団がよりよく生きる上で何を信じ、何を守るべきかを規定するという「社会ルール」の側面がある。また、その民族や集団が何を恐れ、何を戒(いまし)めているかも色濃く反映されている（余談だが、宗教には民族的、環境的要因、さらに歴史的背景が極めて大きい影響をおよぼしている。それゆえに多くの宗教は、それぞれが相容れないものとなっており、時に大きな対立を引き起こしている）。

たとえば、強姦や支配欲によってたびたび社会が危機となってきた民族では、禁欲や清貧を宗教の教義に掲げる。資源や土地を奪い合ってきた民族には等しくわけ与えることを、親兄弟を顧みない民族には家族の重要性を、それぞれ宗教が説いてきた。当然ながら、人々が良からぬ行ないをするからそれを戒める教義があるわけだ。仮に、食料資源が豊かで何不自由ない生活ができる民族ならば、人々は穏健になり食べ物を奪い合うことはしないだろうし、そこで育まれる宗教に「人の食べ物を奪うな」という教義が生まれることもないだろう。

つまり、教義に戒めがあるということは、教義に反する行ないをする者が多く、それによってその民族や集団の社会が崩壊するほど問題であったということの裏返しとも言えるのだ（もちろん、教義が生まれる背景はそれだけではないが、そうした傾向は明確にある）。

さて、日本はどうか。日本の宗教と言えば仏教だが、これは六世紀頃に中国から伝わってきた「外来」宗教だ。日本古来の宗教と言えば「神道」だが、神道はその由来も定かではなく、教義もはっきりと定まっていない。ただ、神道では神は唯一の存在ではなく、「八百万の神々」というようにあまた存在するとされる。命あるものはいうにおよばず、石や雨、果ては山や海にすら神が宿っているという考えだ。

そしてその世界観において、人間の恐ろしさや強さは物の数ではない。他の多くの宗教では、「人の中に悪魔が棲む」であるとか「行ないを正して善人になれ」とか、とかく人間に教え諭すことが多い。それだけ人間は危険で邪悪な存在になり得るという考え方なのだろう。しかし神道の中で、人間は恐怖の対象ではない。所詮は、わずか数十年で死に行くあわれな存在である。八百万の神々に見られる普遍的な教えは、「自然を恐れよ。自然を敬え」である。つまり、日本にはそれだけ天災に翻弄され続けた歴史があり、それゆえに自然をあがめ、自然を恐れ、自然に語りかけ、祈ったということだ。

いまやほとんどの日本人が西欧的な思想を持つに至り、こうした自然への畏怖や信仰心はほとんど失われたかに見える。しかし、その日本人が縄文時代のような思想を取り戻し、世界がそれを必要とする時代が来るとするならば、裏を返せばそれは圧倒的な自然の猛威に人類が完膚なきまでに打ちのめされ、今の文明を放棄せざるを得ないほどの事態が訪れることを意味しているように思われる。私は、二〇二五年七月がその決定的なターニングポイントになる可能性が極めて高いと見ている。

まず生き残れ！　未来の話はそれからだ

たつき先生やＳＨＯＧＥＮ氏は、二〇二五年七月以降に素晴らしい未来が到来することを予言している。それはその通りなのかもしれないが、私はそれが今の物質文明的な「豊かさ」を維持したまま得られる未来ではないかもしれないと考えている。生き残った人類たちが、新しい環境に適応できるよう、まったく新しい価値観や幸福感、人生の意義を定め直して、その中で「心豊かに」「人間らしく」生きる世界になるのではないか。それは、現代的価値観で言えば経済的に「貧しく」、文明的に「原始的で」、物質的に「物のない」世界なのかもしれない。しかし、これとてあくまで〝ただの想像〟にすぎない。

いかなる世界が到来するのか、それはなってみなければわからない。ただその前に、私たちには成すべきことがある。たつき先生が「生き残ることが大切」と言ったように、ＳＨＯＧＥＮ氏が「人々はふるいにかけられる」と教えられたように、人々を生者と死者に、あるいは残る者とふるい落とされる者に、厳しく仕分けされて行く「何か」がやって来るのである。

何が来るかは正確にはわからないものの、私たちはとにかくまずは生き残らねばならない。輝かしい未来、人類の新しい時代を考えるのはそれからである。次章以降では、どんな事態が私たちに襲いかかるのか、そして私たちは何を考え、何を備えるべきかについて見て行く。

第二章

日本列島がもし六〇メートルの超巨大津波に襲われたら……。

歴史から教訓を学ばぬ者は、過ちを繰り返して滅びる（チャーチル）

石垣島の一〇〇年を奪った「明和の大津波」

きらびやかな海に囲まれ、国内外を問わず観光地として高い人気を誇る沖縄県の石垣島には、一七七一年四月二四日（旧暦：明和八年三月一〇日・江戸時代中期）に壊滅的な被害をもたらした「明和の大津波」に関する不思議な言い伝えが残っている。ＮＰＯ法人・沖縄伝承話資料センターによると、それは人魚（沖縄では「ザン」という）と津波に関する伝説で、以下が簡単なあらすじだ。

かつて、石垣島の東北に野原村（のばる）という小さな部落があったという。ある日の夜、その部落の若者が浜辺で宴会をしていると、どこからともなく美しい歌声が聞こえてきて、沖合いに出てみるとそこにはなんとも美しい人魚がいたのであった。若者たちはその人魚を捕まえ、村の皆に見せびらかそうとした。すると、人魚は泣きながら許しを請（こ）うた――「私は海に棲（す）む生き物、人魚です。どうか海に放して下さい」。

若者に交じってそこにいた年配の漁師が泣いてせがむ人魚に同情し、若者たちに「逃がしてやろう」と提案した。すると、人魚は次のようなことを口にしたという――「もし放してくれたら、海の秘密を教えます。これは大変なことです」。若者たちも、人魚を逃がすことに同意した。これに大喜びした人魚は、感謝の言葉を述べた後、海の秘密を話し始めた――「明日の朝、この島をとんでもない津波が襲うのです。それは、島を呑み込んでしまうほどのものです」。

これを聞いた若者たちは仰天したが、「人魚には不思議な力がある」との言い伝えからこれを信じ、部落に戻って「明日の朝、津波が来るらしいから早く山へ避難しよう」と強い調子で知らせた。時間は迫りつつあったが、一部の若者は「隣の村にも教えた方がいい」と大急ぎで隣の村まで警告に走ったが、隣の村の連中は「そんな、まさか」と言って取り合わなかったという。

次の日の朝、実際に津波はやってきた。それも、とんでもなく大きな津波で、村人の目には黒い雲が水平線に連なるように見えたという。そして、島のありとあらゆるものを呑み込んで行った。まさに、人魚の警告が現実のものとなったのである。人魚の話を真剣に受け止めた野原村の人々は、山（高台）に避難していたので助かった。一方、警告を聞き入れなかった隣の村は、全滅してしまったのである。

この言い伝えは、八重山列島を崩壊に追いやった「明和の大津波」の教訓を後世に残すために、昔の人たちが創作したもののようだ。石垣島や宮古島には、このほかにも明和の大津波に関する言い伝えが数多く残っている。最近の研究では、数百年ごとに八重山列島や宮古列島を惨劇レベルの津波が襲っていたことがわかってきた。原因は、「琉球海溝における大規模な地すべり」によるもので、そのほとんどは地震による被害というよりは津波の威力が島々を破壊してきたという。明和の大津波の最大波高は、石垣島で三〇メートル程度に達したようだ。中には、八五・四メートルだったたという説もある。

当時の沖縄は琉球王朝時代であったが、明和の大津波は琉球史で最悪の自然災害であった。事実、石垣島はこの大津波をきっかけとして〝地獄の一〇〇年〟をすごすはめになる。明和の大津波による八重山列島の死者数は、なんと人口の半分におよんだ。また、耕作地の多くが塩害の影響を受けて農作物の生産が低迷したばかりか、衛生環境が極度に悪化したため津波発生の翌年六月頃から疫病が大流行。現地では「イキリ」という言葉で伝承されているが、これはおそらく赤痢のことを指しているようだ。

その後も一七七六年、一八〇二年、一八三八年、一八五二年と飢饉や疫病が続き、明和の大津波から約一〇〇年後（明治時代初頭）の八重山列島の人口は当時の四割から三割程度にまで減少してしまった。以前の人口に戻ったのは、約一四〇年後の大正時代のことだという。明和の大津波によって、八重山列島はまさに〝失われた一〇〇年〟に直面したのだ。

最近の沖縄県というと、もっぱら「綺麗な海」のイメージが先行してしまうが、多くの防災関係者は同地域における大津波の被害は周期的に確認できるため、今後も高度な警戒が必要だと口を揃える。明和の大津波からすでに二五〇年あまりが経過しているということもあり、「もはや、いつ起きても不思議ではない」というのだ。沖縄の災害と言えば台風が有名だが、普段は穏やかで綺麗

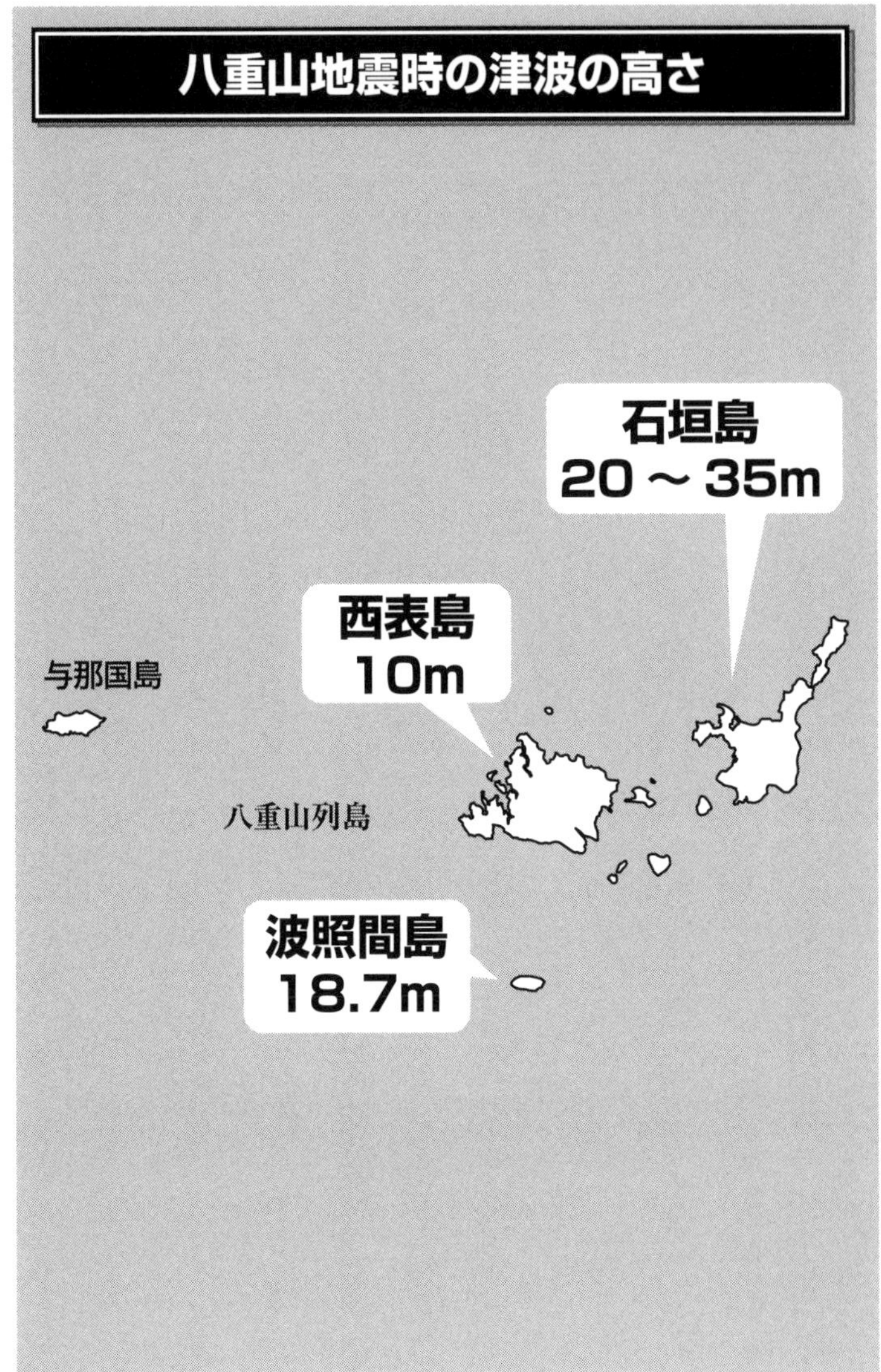
八重山地震時の津波の高さ
石垣島
20 ～ 35m
西表島
10m
与那国島
八重山列島
波照間島
18.7m

な海が時に大津波という暴力的な態度に出るということを、私たち現代人は肝に銘じるべきだろう。

大津波で日本全体が〝地獄の一〇〇年〟に⁉

さて、仮に「明和の大津波」レベルのものが日本列島の広範囲に押し寄せたらどうなることか。想像するだけでも恐ろしいが、その場合は甚大な直接被害に続いて日本経済も長期的に大収縮し、ＧＤＰ（国内総生産）の数割を失うという事態になるだろう。

かつての石垣島が経験したように、日本全体が〝地獄の一〇〇年〟に直面するかもしれないのだ。そしてこうした破滅シナリオは実際に起こり得る。というのも、石垣島の場合は三〇メートル級の津波が襲ったが、たとえば今後三〇年以内におよそ七〇％の確率で起きると言われている「南海トラフ巨大地震」では、それくらいの津波が太平洋側沿岸の広範囲を襲うと想定されているのだ。

戦慄のＣＧ（コンピュータ・グラフィックス）シミュレーションがある。それは内閣府が「南海トラフ巨大地震対策検討ワーキンググループ」の報告を基に作成したシミュレーションで、スマホでこの本の巻末に近い二〇五ページの二次元バーコードを読み取ると誰でも閲覧できる。そのシミュレーションによると、愛知県や徳島県で最大震度七、大阪府で震度六強を観測し、広範囲で即座にライフラインが途絶、そして地震から間もなく各地を津波が襲う。想定される津波高は、和歌山県では最短二分の到着で最大二〇メートル級、三重県には最短四分で最大二七メートル級、高知県は最短三分で最大三四メートル級、大阪府は最短五九分で最大五メートル級、静岡県は最短二分で最大三三メートル級、宮崎県は最短一六分で最大一七メートル級となっている。

「東日本大震災」で観測された最大の津波高は、約四〇メートルに達した。津波というのは何とも恐ろしく、津波高が二メートルで木造家屋を倒壊に追いやり、六〇センチで車が動かなくなる。それがたとえ一メートル以下であっても、いとも簡単に人を呑み込み、死に追いやる可能性があるのだ。その数十倍の威力を持つ、二〇～三〇メートル級の津波が太平洋沿岸の広範囲を襲うことなど考えただけでも恐ろしいが、日本の歴史はそれくらいの大津波が周期的に太平洋側沿岸を襲ってきたことを教えてくれている。

少し話は逸れるが、古の時代から日本には巨大地震を起こす〝龍〟の存在が言い伝えられてきた。一説には龍の頭は能登半島にあり、尻尾は伊豆半島にあるという。そして「龍の頭が動けば、次は尻尾が動く」という言い伝えもあり、二〇二四年の元日に能登半島が大きく揺れたことから、次は太平洋側の大地震を危ぶむ向きがあるのだ。

ちなみに、能登半島と伊豆半島にまたがる龍の真ん中には諏訪大社があるのだが、諏訪大社は中央構造線（九州から茨城まで続く日本最大の活断層）と糸魚川静岡構造線（新潟県から諏訪湖を通って静岡市付近に至る大断層線）の交差点に位置している。そのため、諏訪大社には大地震を抑えるための〝要石〟（地震を鎮めているとされる霊石）があり、しかもそれは日本列島（全体）の要石だという説もあるほどだ。つまり、この日本列島の中心に縦にまたがる龍が

南海トラフによる地震が想定されるところ
日本海
震源断層域
南海トラフ
太平洋

暴れ出せば手を付けられなくなり、日本各地が大きな地震や津波に見舞われるとも言われている。

そもそも日本は、複数のプレートの交差点上にあるため、大地震が連動（別の大地震を誘発）しやすい。このことから、日本には古くから「一災起これば二災起こる」という諺がある。歴史には連動型の大地震が数多く記録されており、たとえば地震の規模が「東日本大震災」級であったとされる平安時代の「貞観地震」（八六九年）の後には、「関東直下型地震」、東海・東南海・南海地震の三連動が起きたと見られる「仁和地震」などの大地震が続いた。また江戸時代の中期には、一七〇三年に元禄の「関東地震」が起き、その四年後に宝永の「南海トラフ地震」が発生、続いて「富士山が噴火」している。

さらには、江戸時代の末期には日本の災害史上でもトップクラスの被害を出した「安政三大地震」が起きた。これは一八五四年一二月二三日〜二六日という短い期間に、駿河湾から遠州灘を震源域とした「安政東海地震」、紀伊半島から四国沖を震源域とした「安政南海地震」、九州の大分県と四国の愛媛県との間

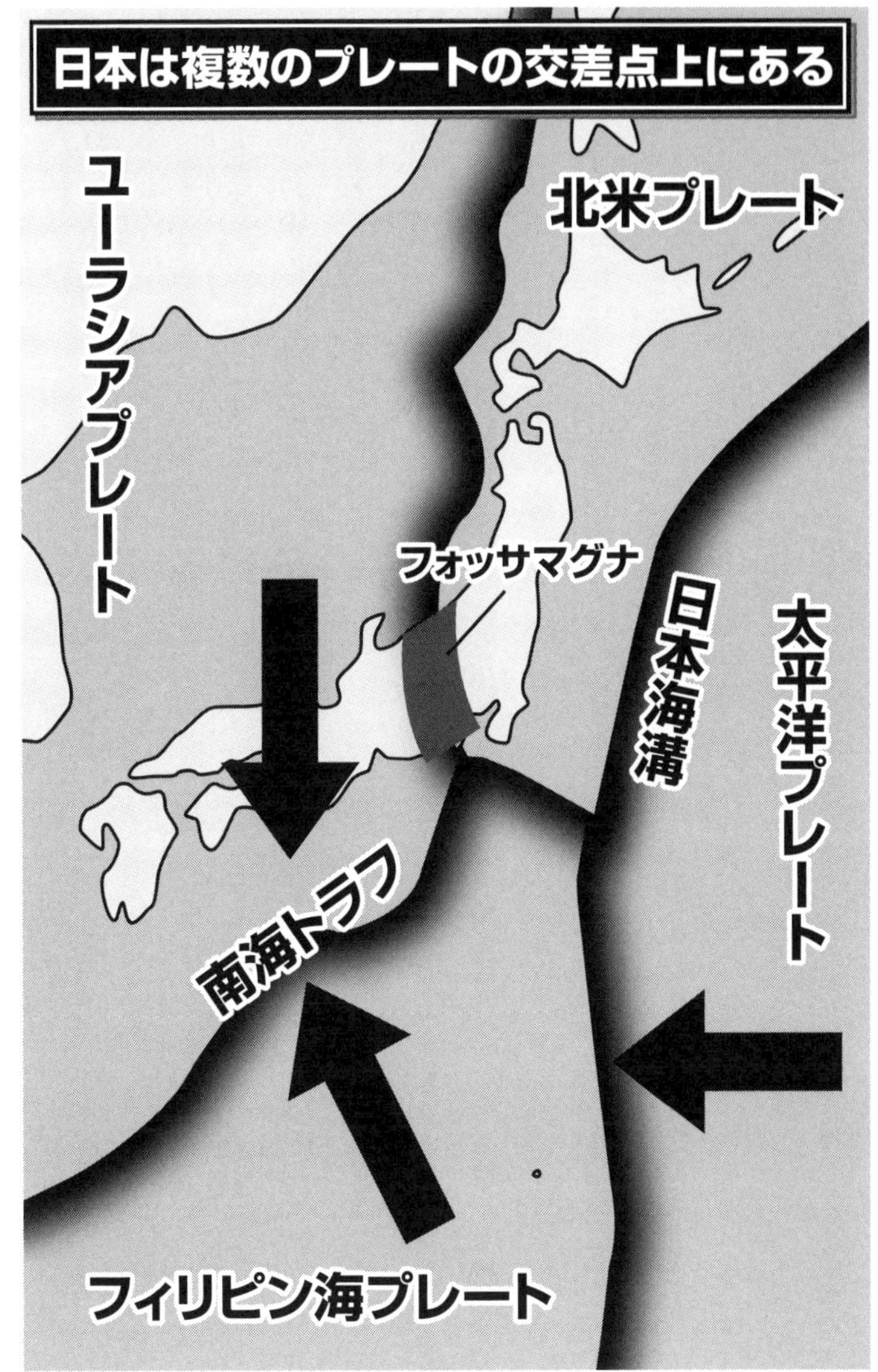
日本は複数のプレートの交差点上にある
ユーラシアプレート
北米プレート
フォッサマグナ
日本海溝
太平洋プレート
南海トラフ
フィリピン海プレート

にある豊予海峡を震源域とした「豊予海峡地震」が起こったことを皮切りに、翌年三月一八日の「飛騨地震」、さらには同年一一月一一日の関東南部を震源域とした首都直下型地震「安政江戸地震」（これにより、幕末で随一の学者とされた藤田東湖が水戸藩の江戸屋敷で圧死した）まで続いた一連の大地震を指す。

これら連動して起きた大地震は、当時の日本社会を文字通り震撼させ、各地の復興がおぼつかなかったこともあり、結果的に江戸幕府の求心力を低下させたことから明治維新の遠因になったと分析する学者は多い。昨今の日本は数百年来の地殻変動の季節に入ったとの分析もあり、少なくとも向こう十数年は「連動型地震」に注意を要する。

『地震の日本史―大地は何を語るのか』（中公新書）の著者で地震考古学者の寒川旭氏の分析によると、地震の規模が東日本大震災レベルであったとされる平安時代の「貞観地震」（八六九年）や関東直下型地震、東海・東南海・南海地震の三連動が起きたと見られる「仁和地震」などの九世紀に起きた地震が、「阪神・淡路大震災」（平成七年）以降に起きている地震の状況と酷似しているというのだ。寒川氏は、近い将来「首都圏直下型」や「三連動地震」が起きる可能性が高いとの見解を示し、「千年に一度の巨大地震の世紀になるかもしれない」と警鐘を鳴らしている。

九世紀との類似性を唱えているのは寒川氏に限ったことではなく、九世紀に発生して二〇世紀後半に起きていないのは「東海・東南海・南海の連動地震」「関東直下型地震」、それに「富士山の噴火」だと警告する学者は非常に多い。このどれもが日本を壊滅させる可能性を秘めている。中にはこれら巨大災害の際には「復興は無理で日本は即座に途上国に転落する」との見方もあるほどだ。

土木学会の二〇一八年の試算によれば、「南海トラフ巨大地震」が発生した場合、地震発生から二〇年間の経済的な被害が最悪の場合で一四一〇兆円に達するという。これは直接的な被害だけでなく、交通インフラが寸断されて工場などが長期間止まり国民所得が減少するなど二〇年間の損害額一二四〇兆円を盛り込んだ数字だ。ちなみに土木学会は、「首都直下地震」が起きた場合についても試算しており、その場合は二〇年間で七七八兆円の経済的な被害額を推計している。

「富士山の噴火」については被害額の試算があまりなされていないが、首都機能の麻痺によって間接的な影響も含めて被害総額は、一〇〇兆円や二〇〇兆円となるのではないか。

想定される「南海トラフ巨大地震」など巨大地震の被害額については内閣府も試算しており、最大で二二〇兆三〇〇〇億円としている。ただし、これには土木学会の試算のような経済活動の長期停滞による被害額は加味されてない。内閣府の試算は甘いという意見も多くある。たとえば東京大学の目黒公郎教授は以前、ダイヤモンド・オンラインのインタビュー記事で「首都直下型地震や東海・東南海・南海地震が発生すれば、被災人口は東日本大震災の五〜八倍になる」と指摘。「今の日本における防災対策は、今後の巨大地震のスケール感をまったく理解していない」と政府の対策を酷評していた。

第一章で指摘したように、たつき諒先生が見た夢のように六〇メートルの津波が太平洋側沿岸を襲う可能性もある。そうなれば、低く見積もってもＧＤＰ

（国内総生産）の四〇％程度が失われるはずだ。こうなると、もはや復興できないかもしれない。バブル崩壊後の「失われた三〇年」どころの騒ぎではなく、石垣島が経験した「失われた一〇〇年」を日本全体が味わう恐れもある。

もはや説明するまでもないが、大災害が起きた際に最優先するのは自身の命だ。この点、個人や法人を問わず「クライシス・マネジメント」を徹底しておく必要がある。このクライシス・マネジメントというのは、リスク・マネジメントの一環で「危機が発生した場合の処理方法」のことだ。日本では予防的な意味でリスク・マネジメントの重要性が語られがちだが、地震や津波などの自然災害を予防することはできない。そのため、想像力を張りめぐらせながら大きな危機が起きた際の対処法を考えておく必要がある。

ただし、もし命が助かったとしても、その先には「経済の崩壊」という二次災害が待ち構えていることも念頭においておきたい。巨大災害が発生すれば、国債が暴落し、長期金利は急騰するだろう。そのような緊急時においては、日銀が無制限に国債を引き受ける可能性が高く、長期金利は落ち着くであろうが財政ファイナンスとの思惑から円の価値は劇的に切り下がるはずだ。

その後、生産設備の破壊による供給ショックと復興による需要ショックが同時に起こることによって、ほぼ確実に猛烈なインフレが襲う。これに円安による輸入インフレも手伝って、日本経済は国民生活が真に破壊されるスタグフレーション（不況下のインフレ）に直面する可能性が極めて高い。

歴史に学ぶ「破局津波」の恐怖

この地球では、時に文明さえも崩壊させるほどの天変地異が起こってきた。第一章でも少し述べたが、その代表例としては「巨大地震」「破局噴火」「隕石の衝突」などが挙げられる。これに加えて、「大津波」もかなりの脅威だ。巨大地震、破局噴火、隕石の衝突のどれをとっても二次被害として大津波が起こり得る。そこで本項では、人類をたびたび襲ってきた「破局津波」（これは私の造語である）について学んで行きたい。

ところで、日本語の「津波」は、英語でも「Tsunami」として通じる。なぜ英語でも「Tsunami」表記となったかについては諸説あるが、代表的なものとしては一九四六年に起きた「アリューシャン地震」による津波でハワイが甚大な被害を受けた際に、日系移民が「Tsunami」という言葉を多用したことでハワイから徐々にこの言葉が浸透したという説だ。また一八九六年に起きた「明治三陸地震」のニュースが写真入りで世界に報じられ、そのインパクトの強さに「Tsunami」という言葉が浸透したという説もある。結果的には、二〇〇四年の「スマトラ沖地震」による壊滅的な津波被害の様子が世界中で放送されたことで英語圏以外でも「Tsunami」という言葉が一般的に使われるようになった。

あえての説明になるが、この津波とは地震や火山活動、山体崩壊、さらには隕石の衝突などが原因で海面（水面）が変動し、大規模な波が四方八方に伝わる現象である。地球に水がある以上、津波の被害は付き物だ。

津波の歴史を振り返ると、時には想像すら付かない規模の津波が起こってきたことがわかる。中でも史上最大規模と考えられているのが、約六六〇〇万年前に地球に衝突した巨大小惑星チクシュルーブによる「破局津波」だ。推定で直径一〇～一四キロのこの小惑星は、メキシコのユカタン半島付近に落下したことで全長約一〇〇キロのクレーターを残したが、その影響はすさまじく、恐竜ばかりか地球上に生息していた動植物の七五％が絶滅している。

米ミシガン大学などの研究チームが二〇二二年に米地球物理学会誌で発表した論文には、隕石が地球に衝突した際に起こったとんでもない大津波のシミュレーションの詳細が掲載された。津波の高さは、なんと「一六〇〇メートル」。比較のために東京の下町（墨田区）にあるスカイツリーを挙げるが、その高さは六三四メートルだ。スカイツリーを真下から眺めたことのある人ならわかると思うが、てっぺんが高すぎて見えない。その二・五倍の高さの津波が周辺を襲ったのだ。巨体の恐竜も、さすがに度肝を抜かれたことだろう。ちなみにこの研究チームのシミュレーションによると、小惑星の衝突から四八時間後までには津波が地球を一周した。

隕石の落下による津波など、数万年に一度の破局イベントであり、目先のリスクに組み入れるのは不自然かもしれないが、インターネット上には「二〇二五年七月に隕石の破片がフィリピン海に落ちる」との未確認情報が飛び交っている。現在、ＮＡＳＡは地球に衝突する恐れのある小惑星として、古代エジプトの混乱と暗闇の神にちなんで名付けられた「アポフィス」や、エジプト神話に登場する不死鳥でオシリスの魂である「ベンヌ」などを挙げているが、どちらも衝突する確率は極めて低いそうだ。たとえ衝突しても、六六〇〇万年前の「チクシュルーブ衝突」のように大量絶滅を引き起こす恐れはない。その時衝突した小惑星の大きさは約一〇キロメートルだったと推定されているが、ベンヌの直径は約五〇〇メートルしかない。

とはいえ、衝突した地域は壊滅的な打撃を受ける。衝突した場合のエネルギーはＴＮＴ火薬一一億トン分以上に相当し、これは二〇二〇年にレバノンのベイルートの港で起きた大規模な爆発のエネルギーの約二〇〇万倍だ。

地球にとって「潜在的に危険な小惑星」を「ＰＨＡ」と言うのだが、二〇二四年一月現在、天文学者は二三九四個の潜在的に危険な小惑星を検出している。

しかし、近年は技術の発展により小惑星の長期的な軌道を導くことが可能となっており、ＮＡＳＡを筆頭に「今後一〇〇～一〇〇〇年間は目立った小惑星の地球への衝突はない」と言うのだ。しかし、これは絶対的なものではなく、時に小惑星が軌道を変えることもあるため、小惑星の衝突リスクは思われているよりも高いとする見解もある。

もしそれなりの大きさの小惑星がフィリピン海域に落下すればその影響は甚大だ。ＮＡＳＡによると、直径一四〇メートルを超える小惑星は地球に衝突すると原子爆弾の一〇〇〇倍以上のエネルギーを放出するといい、仮にそれが海面に激突すれば、破滅的とも言える大津波がその周辺を襲うことは確実だろう。

さて、次に近代の観測史上で最大の津波を紹介したい。それは、一九五八年に米アラスカ州リツヤ湾で観測された五二四メートルの津波だ。これは、山体崩壊が原因で起きた津波である。一九五八年七月九日、現地でマグニチュード七・七の大地震が発生したことによって大規模な地すべり（山体崩落）が起こった。海中になだれ込んだ大量の土砂や氷塊（ひょうかい）により、湾内で巨大な水しぶきが発生。結果的に高さ五〇〇メートル以上の津波が沿岸を襲った。波によって押し倒された樹木の痕跡から推量した波の高さは、五二四メートル。これは近代の観測史上最高であり、これを超える津波はいまだに確認されていない。

こうした地すべり（山体崩壊）による巨大な水しぶきは、結構な頻度で起こっている。たとえば二〇一七年には、グリーンランドの漁村ヌーガートシュアクがフィヨルドの地すべりが原因の大津波で壊滅した。この時の津波高は、一〇〇メートル。村ごとすべてが流された。

海底火山の噴火も、時に大きな津波が起こす。二〇二二年一月にトンガのトンガ＝フンガ・ハアパイ海底火山の噴火によって起きた津波は、九〇メートルに達した。トンガの噴火の火山爆発指数（ＶＥＩ：火山の爆発規模の大きさを示す区分。〝八〟が最大）は、少なくとも〝五〟と推定されている。噴火によって発生した衝撃波（空振）は一八八三年のクラカタウ噴火に匹敵する規模、過去一〇〇年以上の自然現象としては最も強力な例であり、アメリカが保有する最大の核爆弾にも匹敵するほどであった。一部の学者からは、「一〇〇〇年に一度」の規模であったとの指摘もされている。彼らは火山爆発指数が〝六〟もしくは〝七〟に相当するのではないかと推測し、もしこれが海底ではなく地上で起きていれば、下手をすると破局レベルの被害が出ていたかもしれないというのだ。そう考えると、文明が崩壊するような天変地異は意外にも身近な脅威なのかもしれない。

海底火山は日本の近くに多く存在し、たとえば東京都の島しょ部、南西諸島、そしてフィリピン海域は、海底火山のメッカとして知られている。

「南海トラフ巨大地震」の被害想定

海底火山の噴火に加えて、海底での地震活動も大きな津波を発生させることが多い。

ところで、地震には大きくわけて「内陸型」と「海溝型」の二種類がある。二〇二四年の元日に起こった「能登半島地震」は、内陸型だ。この内陸型地震は、主に内陸部の活断層で発生する地震のことを指し、「新潟中越地震」や「阪神・淡路大震災」が内陸型にあたる。「東日本大震災」は海溝型だ。海溝型地震は、海溝近くのプレートの境界（海溝やトラフなど）で発生するので、陸上の直下ではなく沿岸域が震源となる。そのため、地震の揺れによる被害よりも津波による被害の方が大きくなることが多い。

壊滅的な被害を出した、二〇〇四年の「スマトラ島沖地震」も海溝型であった。当時はマグニチュード九・一という巨大な地震が海底で起こり、平均で一〇メートル程度、最大で三〇メートル級の津波が繰り返しインド洋沿岸を襲っている。津波発生時には二〜三メートルほど海底が持ち上がり、ジェット機並みのスピード（時速約七〇〇キロ）で津波が押し寄せた。これら地震と津波による死者・行方不明者の数は二三万人にのぼり、全体の被災者は五〇〇万人に達した。

この「スマトラ島沖地震」は数ある自然災害の中でも屈指の被害規模であったのだが、仮に「南海トラフ巨大地震」が起これば、それ以上の被害が出るとの試算がなされているのだ。

海溝型で津波を発生させる「南海トラフ巨大地震」は、太平洋側沿岸部の広範囲を最大二〇～三〇メートル級の津波が襲うと想定されている。内閣府の「防災情報のページ」によると、同じく海溝型の「東日本大震災」では各地で以下の津波高が観測された。福島県相馬で九・三メートル以上、岩手県宮古で八・五メートル以上、大船渡で八・〇メートル以上、宮城県石巻市鮎川で七・六メートル以上。さらには、宮城県女川漁港で一四・八メートルの津波痕跡も確認されている。また、遡上高（陸地の斜面を駆け上がった津波の高さ）では、全国津波合同調査グループによると国内観測史上最大となる四〇・五メートルが観測された。「東日本大震災」では、大体一〇メートル級の津波高で沿岸部が壊滅的となったことを考慮すると、「南海トラフ巨大地震」で想定されている二〇～三〇メートル級の津波高が現実のものとなれば、その被害は「東日本大震災」のそれを遥かに凌ぐものとなるだろう。

国土地理院によると、「東日本大震災」の際は、青森、岩手、宮城、福島、茨城、千葉の六県六二市町村における浸水範囲面積の合計が、山手線の内側の面積の約九倍にあたる広大なものであった。「南海トラフ巨大地震」では関東から九州まで幅広い範囲で津波の被害が想定されている。しかも東名阪には日本を代表する工業地帯が点在しており、経済への打撃はより深刻だ。ちなみに想定される「南海トラフ巨大地震」の被災地は、工業製品の出荷額が国内シェアの七割を占める「太平洋ベルト」と重なっている。

「南海トラフ巨大地震」は海溝型だが、内陸にかなり近い場所が震源域となるため、海溝型の特徴である「揺れによる被害よりも津波による被害の方が甚大になる」という傾向を悪い意味で裏切る可能性が高い。すなわち、揺れと津波のどちらも大きな被害を出すということだ。過去の「南海トラフ地震」の被害からしてもそれは間違いない。むしろ「南海トラフ巨大地震」は、かなり広い範囲が強い揺れと共に大きな津波が発生し、早いところでは数分で津波が到達するところが出て来ると言われている。そう、もはや逃げようがないのだ。

マグニチュード八～九の「南海トラフ巨大地震」が起きた場合は、各地で以下のような最大震度が予想されている。東から静岡市、名古屋市、和歌山市、徳島市、宮崎市などで〝最大震度七〟の予想で、これに加えて東日本から西日本にかけての二四府県で〝震度六弱以上〟の揺れが生じる見込みだ。

その直後に沿岸部を津波が襲う。先にも記したが、内閣府が南海トラフ巨大地震対策検討ワーキンググループの報告を基に作成したシミュレーションによると、和歌山県と静岡県では地震発生から津波の到達までにわずか二分しかない。しかも、和歌山県で最大二〇メートル級、静岡県で最大三三メートル級という津波高が予想されている。大揺れと大津波では、逃れようがない。

また、高知県には最短三分で最大三四メートル級、三重県には最短四分で最大二七メートル級、大阪府には最短五九分で最大五メートル級、宮崎県には最短一六分で最大一七メートル級の津波が襲うと想定されている。宮崎県は津波の到達までに一六分あると見られているが、これでも逃げるのに十分な時間とは言えない。

「東日本大震災」の震源域は一三〇キロ離れた沖合いだったが、「南海トラフ巨大地震」はずっと陸地に近くそこが震源地となるため、大地震と津波がほぼ同時にやって来ると予想されている。ちなみに東日本大震災では、津波の高さが三メートルを上回るまでの時間は岩手県大船渡で二六分、宮城県石巻市鮎川で三〇分、岩手県宮古と釜石で三二分、福島県相馬では五九分、青森県八戸では二時間三分あった。それなりに逃げる時間はあったと言えるが、それでもあれだけの被害者が出ている。残酷な話だが、逃げる間もない「南海トラフ巨大地震」の被害者は、格段に増えるはずだ。最悪の場合で死者数三二万人、負傷者六二万三〇〇〇人にのぼると予想されている。

被害額も桁違いだ。「東日本大震災」が約二〇兆円であったのに対し、内閣府の試算では「南海トラフ巨大地震」の被害額は最大で二二〇兆三〇〇〇億円になる。およそ一〇倍だ。ただし、これには地震後の長期停滞の影響は含まれていない。先に述べた通り、土木学会の二〇一八年の試算によれば地震発生から二〇年間の経済的な被害が、最悪の場合で一四一〇兆円に達する。

比較対象としてふさわしいかどうかわからないが、ウクライナはロシアとの戦争で二〇二二年（戦争の開始は同年二月二四日）の一年間でGDPの約三割を失った。世界銀行や国連などの二〇二三年三月時点の試算では、ウクライナの復興費用は四一一〇億ドル（一ドル＝一四一円で計算：約五八兆円）。ウクライナ一国ではこの資金を捻出することは到底できないばかりか、多大な人的損失もあって、戦後の復興は相当に難航すると見られる。「南海トラフ巨大地震」が起これば、日本も似たような状況におかれるだろう。いや、もっとひどいことになるかもしれない。

恐ろしい試算がある。たいていの試算は「南海トラフ巨大地震」でGDPの一〇％程度が失われると見積もっているが、一般社団法人原子力国民会議の試算では五〇〇〇兆円超（二〇二〇年時点）のGDPが一六〇兆円程度にまで減るというのだ。想像を絶する落ち込み具合だが、この最大の理由は南海トラフ巨大地震で想定される津波によって太平洋側の多くの発電所が壊滅的な被害を受けるためである。この原子力国民会議のレポートでは、かなり厳しい指摘がなされている。一部分を引用したい。

このように日本のＧＤＰが三分の一以下に下落すると、輸出量が減少し、輸出入の収支バランスから輸入できる量も減少せざるを得ない。現在の日本のＧＤＰ：五〇〇～五五〇兆円に対する輸出額／輸入額（それぞれ七〇～八〇兆円）の比率を見てみると、（七〇～八〇兆円）／（五〇〇～五五〇兆円）～（一三～一六％）となる。この数値をそのまま適用すると、地震被災後のＧＤＰは一五九兆円まで下落するので、貿易できる推定額は現在の七〇～八〇兆円の三分の一程度の二一～二五兆円となる。ここで問題になるのは、日本の食料自給率の低さとエネルギー自給率の低さである。食料自給率は三七％（二〇一八年）であり、食料の三分の二程度は輸入に頼っており、支払額は七兆円（二〇一八年）程度になり、震災後の輸入可能金額の三割を占める。次に原油・石炭等の化石燃料由来の製品の輸入は一九・三兆円（二〇一八年）となり、震災後には化石燃料だけで輸入可能金額をほぼ占めてしまうことになる。これは化石燃料を必要量だけ輸入することは不可能なことを意味している。その状況に対して改善する対策を何も取らなければ、南海トラフ地震や同様な首都直下型地震、或いはほかの自然災害や緊急事態等が発生すると、日本の経済活動は完全に停止し、食料の供給もままならずに餓死者が増大し、かつ石油・石炭等も不足して電力不足が頻発して経済活動が停滞して、ますます日本の衰退が加速度的に進むことになる。

（原子力国民会議だより 第五一号二〇二〇年三月一九日付）

生産設備を失った状態からの復興は、甘くない。おそらく「南海トラフ巨大地震」が起これればＧＤＰの三～四割が失われるだろうが、震災前のＧＤＰ水準を取り戻すのに十数年の月日が必要になるだろう。戦後の日本は、見事なまでに復興を果たした。日本のＧＤＰは一九五三年までに戦前の水準を回復したのだが、言い方を変えると復興までに〝八年を要した〟のである。しかも、これは朝鮮戦争の特需があってのことだ。あの特需がなければ、戦後の復興にはさ

らなる時間が必要であったであろうことは疑いようがない。

仮に「南海トラフ巨大地震」が起きたとしても、心情的には「すわ、あの奇跡をもう一度」と思いたいところだ。しかし、そう簡単な話ではない。何より当時と今では人口動態が様変わりしている。また、復興には計画経済が有効であり、戦後の日本も「傾斜生産方式」（けいしゃ）というある種の計画経済の下、厳しいインフレに耐えながらも国民が一丸となって生産の拡大に努めたのだが、この現代社会が計画経済に移行できるかは疑わしい。

もちろん、日本人の勤勉性は相変わらずのことであり、危機には一丸となって対処して行く姿を想像できるものの、現実問題として「南海トラフ巨大地震」からの復興は極めて難しいものになるだろう。

冒頭で石垣島の「明和の大津波」に話をしたが、もし「南海トラフ巨大地震」などの災害で日本全体が大きな傷を負えば、当時の八重山列島が経験したように日本全体が〝失われた一〇〇年〟に突入しても不思議ではない。飢饉や伝染病が定期的に起こり、人口も減って行く。巨大地震をきっかけに〝地獄の一〇〇年〟を過ごす羽目になりかねないのだ。

人知を超えた力の存在

第一章で述べたように、「二〇二五年七月」がインターネット上で騒がれている。実際に二〇二五年に何かが起こるかどうかは別にして、私はこの世に「予知夢」や「予言」という、いわゆる人知（じんち）を超えた何か神秘的な力が存在することは間違いないと思っている。中でも私は、「二〇二五年七月」の話には特段の興味がわいた。というのも、私はネット上で騒がれていることとはまったく別の視点で、二〇二五年あたりに日本が大きな転換点を迎えると聞いたからである。それは、前に述べた浅井隆先生の「四〇年周期」に基づく説だ。

前出の五六～五七ページのチャートをご覧いただきたい。このチャートをじっくり見ると明治維新からの日本の歴史には明確なまでに「四〇年周期」というものが確認できる。そのため、前回のピークであった一九八五年から四〇年後の二〇二五年前後には特段の注意が必要だというのだ。浅井先生は、ここらへんが日本の「ドン底」になると予想している。より具体的に言うと、浅井先生は日本が「財政破綻に直面」するのではないかと心配しているという。

浅井先生の見解を紹介するまでもなく、誰がどう見ても日本政府の債務問題はギリギリのところまできている。私が思うに、「台湾有事」や「大きな天災」といった何かきっかけがあれば、瞬時に吹き飛びかねない状況だ。こうしたこともあり、私はかねてから二〇二五年に注目していたのだが、そこに人伝手で「二〇二五年七月」の話を聞いたのである。興味がわかないわけがない。

ご存じのようにこれまでも多くの〝予言者〟が登場し、そのほとんどは予想を外した。今回もそうなる可能性の方が高いかもしれないが、なぜか「二〇二五年」という数字に不思議な縁を感じるのである。仮にもたつき諒先生が言っているようなことが起きたとしたら、まさに大惨事だ。もはや、先の敗戦どころではないインパクトで日本社会にパラダイムシフト（その時代や分野において当然のことと考えられていた認識や思想、社会全体の価値観などが、革命的に、もしくは劇的に変化すること）をもたらすだろう。

反対に、二〇二五年七月に何も起きなくても、今後の日本は相当な困難に直面するはずだ。災害一つとっても、日本では近い将来、「南海トラフ巨大地震」「富士山噴火」「首都直下地震」などが起こり得る。それらが連動して「超巨大災害」になることも、想定しておかなければならない。

また、世界的な地政学リスクの高まりも大いに気がかりだ。ここ東アジアを舞台として、〝大規模な戦争〟が起こることも十二分にあり得る。だからこそ、あえて最悪を想定してみたい。そこで本章の最後では、大袈裟なシナリオに思われるかもしれないが、「二〇二五年七月に六〇メートル級の大津波が太平洋側沿岸を襲うシミュレーション」を展開してみよう。

二〇二五年七月に「令和の大津波」発生。その戦慄のシナリオ

＊　＊　＊

二〇二五年七月、フィリピン沖にて歴史的にも稀有（けう）な規模の津波が発生した。原因は隕石の衝突である。実は、二〇一七年にチェコ科学アカデミーの天文学者チームが、「おうし座流星群」として知られる流星群の小惑星が地球に衝突する危険性が高まっているとの研究結果を発表していた。

このおうし座流星群とは、地球上で毎年ほぼ同じ時期に観測される流星群（流れ星の大群）の一つとして知られる。そしてチェコの天文学者チームがそのおうし座流星群のうち、大気中で爆発する大型の流星一四四個を分析した結果、そこで直径二〇〇～三〇〇メートルの小惑星を少なくとも二個含む、新たな分枝（ぶんし）を発見したのだった。

同チームはプレスリリースで、「この分枝には、直径が数十メートル以上の未

発見の小惑星が多数存在する可能性が非常に高い」「よって、地球がこの惑星間物質の流れに遭遇する数年に一回は、小惑星と衝突する危険性が著しく高まる」と指摘している。

そして英デイリー・エクスプレス紙（二〇一七年六月一一日付）は、チェコ科学アカデミーの天文学者チームが毎年恒例の流星群の「破片の一つは、二〇二二年、二〇二五年、二〇三二年、または二〇三九年に地球に衝突する可能性がある」と分析したと報じていた。

その候補のうちの一つである二〇二五年に、大衝突は発生した。ちなみにNASAをはじめとした小惑星の監視チームが衝突の危険性に気付いたのは、落下のおよそ二四時間前であった。時、すでに遅しである。慌てふためく世界市民を横目に、直径二〇〇メートル程度の小惑星がごう音を響かせながらフィリピン海に激突した。その場所は、世界一深いとされるマリアナ海溝と台湾の中間くらいで、北側には日本、南側にはインドネシアがある。

衝突と同時に、近現代ではまれに見る水位変動が起こった。直後の津波高は驚異の三〇〇メートル。それが時速七〇〇～一〇〇〇キロという猛烈なスピードで四方八方へと広がって行った。日本の気象庁がはじき出した計算によると、日本の太平洋側沿岸には三～四時間程度で到達する。

全世界が、そのニュース一色となった。北は日本や韓国、西は台湾や中国本土、南はASEANからオーストラリア、そして東ではアメリカと南米の西海岸で、即座に「非常事態宣言」が発令されたのである。

フィリピン沖を中心として、そこに向いている世界各地の沿岸部は大パニックとなった。各国のニュースは青ざめた表情のキャスターが、力を振り絞って海岸線から逃げるよう大声を出している。

第一波は日本、台湾、フィリピンを襲った。通常、津波は発生地から遠ざかるにつれ速度を落とす。一方、津波の高さは水深が浅くなるにつれて高くなる性質があるが、今回は発生当初の津波高からは低下し、およそ六〇メートルの津波が各地の沿岸部を襲った。ビルの二〇階に相当する六〇メートルという高さは、絶望的な高さの津波である。

日本では西から鹿児島県、高知県、和歌山県、静岡県などの沿岸部を超巨大津波が襲い、沿岸部の街を瞬時に破壊した。たとえば、風光明媚な景勝地（けいしょうち）として知られる高知県の桂浜（かつらはま）には、坂本龍馬の銅像が鎮座している。その坂本龍馬の銅像は台座を含めて一三メートル以上あり、さらには丘の上に位置しているため龍馬像の頭の部分は海抜三〇メートルくらいになると思われるが、津波はそれをも丸呑みした。不幸中の幸いとも言うべきか、逃げる時間があったことだけは救いである（近い将来に想定されている「南海トラフ巨大地震」は、早いところでは数分で津波が到達するとされている）。

超巨大津波は日本の玄関口と言える大阪湾、伊勢湾（東海）、東京湾にも容赦なく突入して行った。そこに暮らしている人たちは普段はあまり意識していないかもしれないが、いわゆる東名阪の主要部は海抜五メートル以下のところが多い。たとえば大阪では、「南海トラフ巨大地震」で想定されている五メートルの津波で大阪・梅田駅や大阪城まで浸水すると言われている。「令和の大津波」では、それよりもさらに高い一五メートルの津波が大阪湾を襲った。関西空港、

海の深さと津波の速度の関係

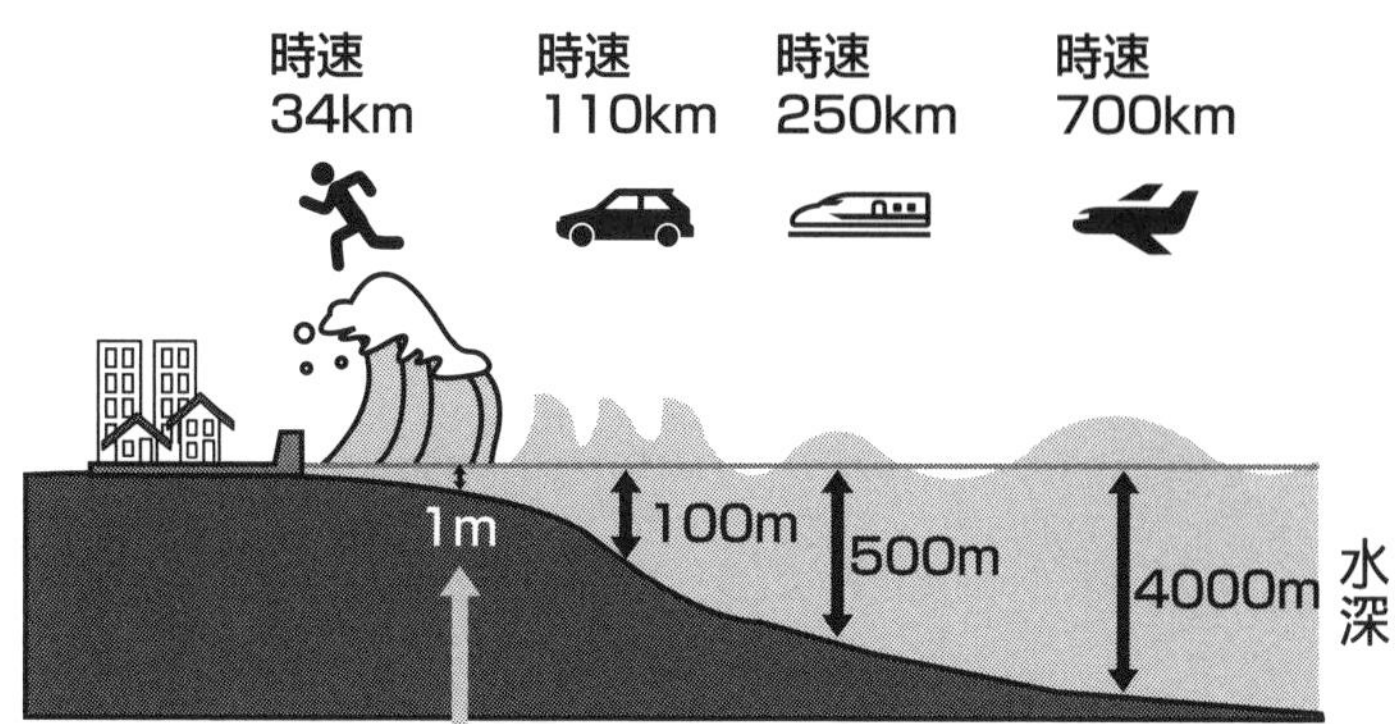

海の深さと津波の高さの関係

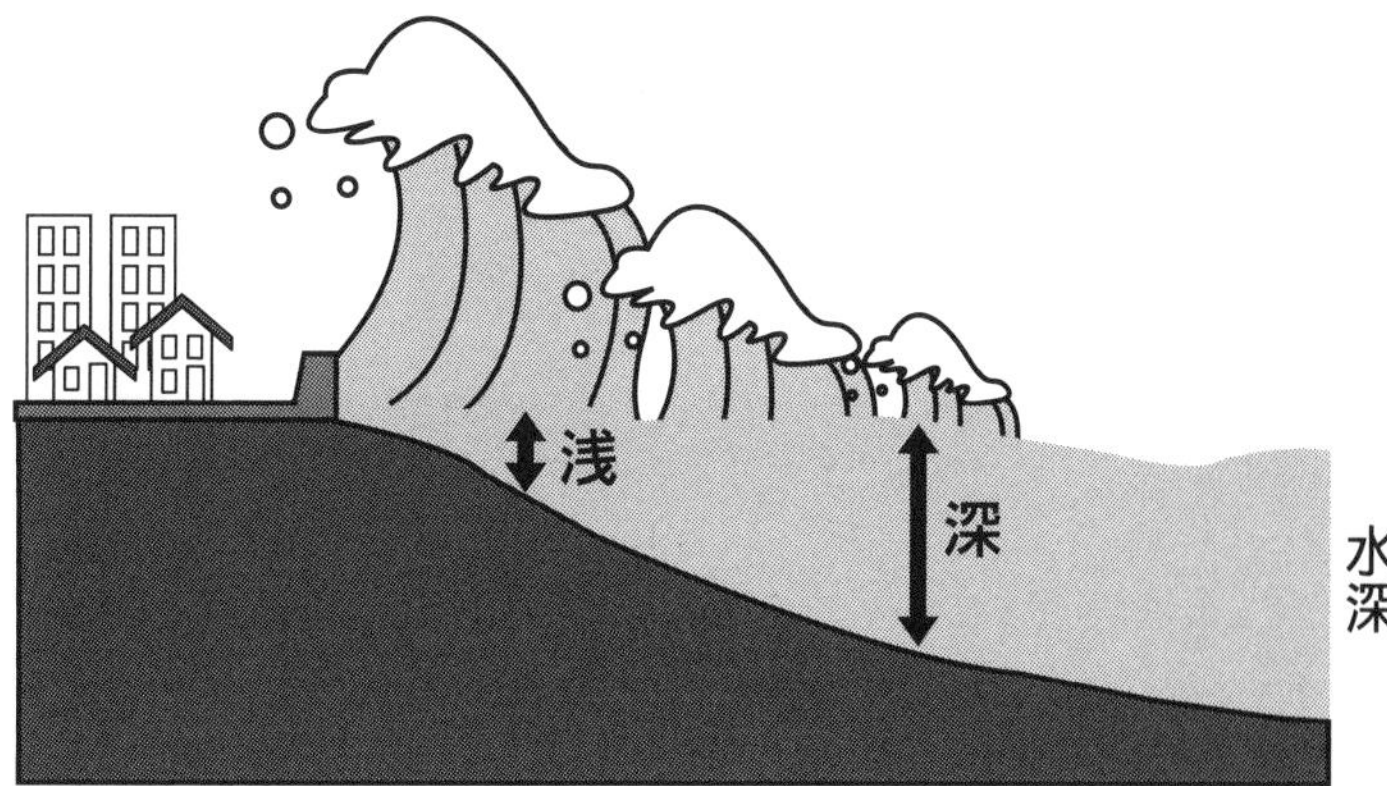

神戸空港、二〇二五年の大阪万博会場、ユニバーサル・スタジオ・ジャパン、甲子園球場、さらには道頓堀など、大阪・神戸を代表するすべてが流され消滅してしまった。

大阪圏の海抜ゼロメートル地帯には一三八万もの人が住んでおり、過密都市であるがゆえ大パニックになった。津波の到達までに三時間程度あったとはいえ、百数十万の人が時間内に避難するのは容易ではなく、結果的に数千人単位の死亡者・行方不明者が出てしまった。負傷者は数万人にのぼった。

伊勢湾も壊滅的な被害に遭う。伊勢湾に位置する中部セントレア空港が真っ先に呑み込まれ、繁華街の栄やテレビ塔も浸水し、外国人に人気のある観光名所「オアシス21」は、水に浮かんで宇宙船のようになってしまった。最終的に津波は名古屋城まで届いたが、愛知県も海抜ゼロメートル地帯に九〇万人が暮らしており、大阪と等しく大パニックになったのである。ここでも数千人にのぼる死傷者と行方不明者を出した。

入り口の狭い東京湾の被害は、大阪湾や伊勢湾よりは少しマシであったが、それでも一〇メートルくらいの津波が押し寄せた。レインボーブリッジこそ無事であったが、浮島（うきしま）（川崎市）から千葉県の木更津をつなげるアクアラインの海底トンネル部分は、浸水してしまった。

津波は皇居まで届き、東京タワーやスカイツリー周辺も浸水。江東区や墨田区、荒川区は全滅に近い状態となった。また津波は、荒川を遡ったため埼玉県の一部地域も水害を受けたのである。東京の地下鉄も大部分で水没し、まったくの使用不能状況となってしまった。東京の海抜ゼロメートル地帯には、一七六万人が住んでいる。超過密都市の混乱ぶりはすさまじく、結果的に信じがたい万単位の死者数と行方不明者を出した。

隕石の衝突による超巨大津波は日本列島の太平洋側沿岸を等しく襲ったが、逃げる時間があったことだけが幸いである。「南海トラフ巨大地震」では、三二万人強の死者・行方不明者数が予想されているが、今回はその一〇分の一の被害であった。

しかし、本当の地獄はその後に待っていたのである。太平洋側沿岸にある主要な工業地帯、港湾、飛行場、石油コンビナート、国家石油備蓄基地、LNG（液化天然ガス）基地が破壊されたためだ。日本経済の大動脈が完膚なきまでに破壊されたことにより、生産活動は完全にストップ。大停電も発生し、現代社会は一気に旧石器時代にタイムスリップしたかのような状況となった。

西から阪神工業地帯、中京工業地帯、東海工業地帯、京浜工業地帯、京葉工業地帯が壊滅。さらには瀬戸内海の北側に位置する瀬戸内工業地帯にも津波は進入し大打撃を受けた。北九州工業地帯と関東内陸工業地域だけは被害を免れたが、原材料の調達が困難になったことや停電によって生産はおぼつかない。

主要な工業地帯には出荷のために決まって大きな港湾があるが、当然そのほとんどが破壊された。こうなってしまうと、仮に生産にこぎ付けたとしても出荷がままならない。

かくして日本の生産活動は完全に止まった。南関東から北九州にかけて連なる工業地帯を「太平洋ベルト」というが、その太平洋ベルトの工業生産額は国内工業生産額の約三分の二を占める。そこが津波による浸水と停電、さらには原材料の調達難によって生産がほぼ停止したのだ。北陸から東北の日本海側にかけて、また北海道でのみ企業の生産活動は続いたが、そもそもそれら地域の生産能力は太平洋ベルトに比べて圧倒的に低く、もはや〝焼け石に水〟の状態だった。超巨大津波によって、瞬時にＧＤＰの四〇～五〇％が消失した。

フィリピン沖に隕石が衝突したのは早朝であったが、周辺国はまれに見る非常事態であるがゆえ、早々に株式市場の休場を決定している。シカゴ・マーカンタイル取引所（ＣＭＥ）に上場されている日経平均先物は、取引できたが大暴落によってサーキットブレーカーが乱発された。

日本の株式市場が再開されたのは被災から一ヵ月後のことであったが、その時点でＣＭＥの日経平均先物は被災前の四万二〇〇〇円強から二万円まで値を下げている。ようやく再開した日経平均株価も、ＣＭＥとの価格差を狙った強烈な裁定売りにより大暴落した。結果、取引の再開から一週間後には、一万五〇〇〇円近辺まで値を下げることになる。

債券市場も一ヵ月間の休場を余儀なくされたが、再開後は株式市場と同様に大暴落した。サーキットブレーカーやストップ安を繰り返しながら、日本の長期金利は一時的に八％にまで急騰してしまった。時の自民党政権は「財政非常事態宣言」を発出し、現状が日銀の直接引き受けを禁ずる財政法第五条の「特別の事由」に該当するとし、国会の議決を得た上で〝財政ファイナンス〟に踏み切った。

※財政法第五条＝すべて、公債の発行については、日本銀行にこれを引き受けさせ、又、借入金の借入については、日本銀行からこれを借り入れてはならない。但し、特別の事由がある場合において、国会の議決を経た金額の範囲内では、この限りでない。

これにより長期金利の急騰は収まったが、そのしわ寄せは〝為替〟に向かったのである。外国為替市場のドル／円は、二〇二五年七月の一ドル＝一五〇円近辺から被災した数日後には二五〇円を突破。そこからも日本円は順当に切り下がって行き、財政ファイナンスの導入をきっかけとして下げ足を速め、被災の二ヵ月後には一ドル＝三〇〇円の大台を付けた。

市中の生活で困難になったのは、預金の引き出しである。広範囲の停電によって被災地では基本的にＡＴＭからお金が下せない。マイナンバーカードなどの身分証明書があれば被災を免れた銀行の支店で預金を下ろすことができたが、元々経営基盤が盤石ではなかった地方銀行などは信用不安の拡散を防ぐために引き出し制限を実施した。ほとんどの地方銀行は、一人が一日に下ろせる額を〝二万円〟に制限したのである。

そうこうしているうちに、深刻な供給不足と日本円の信認低下が相まって〝ハイパーインフレ〟の様相を呈するようになった。まさに、戦後のドサクサが再来したかのようである。いや、むしろ当時を凌ぐ混乱ぶりだ。

日本だけでなく、アジアのほとんどで沿岸部が壊滅的となったため、国際分業体制はまったく機能しない。そうした状態が、かれこれ三年も続いた。被害がアメリカの西海岸にもおよんだことで、アジアの供給不安がより長引くことになったのである。

この三年で、日本という国の形は大きく変わった。何より、居住可能地域が大幅に減ったことで、ゲルマン民族の大移動を彷彿(ほうふつ)とさせる日本国民の大移動が起こったのである。津波で甚大な被害を受けた太平洋側沿岸部も、この三年で何とか復興にこぎ付けたものの、従来の社会生活を続けることが難しく、多くの人が移住を余儀なくされた。

また、一部の原発が炉心溶融（メルトダウン）を起こしたことが大きな問題となった。具体的には二〇二五年七月時点で再稼働していた川内（九州電力）原発、伊方（四国電力）原発でメルトダウンが発生、その周辺は死の大地と化した。これら原発は、ＮＡＳＡからの警告により隕石の衝突のおよそ二四時間前に核燃料の臨界は止まっていた。しかし、崩壊熱はすぐにはなくならない。そのため、超巨大津波（全電源喪失）による冷却機能の停止によってメルトダウンが生じたのである。さらに、運転停止中や廃炉が決まっている原発においても、津波の被害を受けたところでは深刻な風評被害が起こった。具体的には浜岡（中部電力）、福島第一（東京電力）、福島第二（東京電力）、東海・東海第二（日本原子力発電）、女川（東北電力）である。

〝令和の民族大移動〟の最大の特徴は、〝北上〟であった。そのため被害を免れた福岡市、金沢市、長岡市、札幌市などはいずれも数百万都市に膨張。中でも食料自給率（カロリーベース、令和二年度）が二一七％の北海道、一二五％の青森県、二〇〇％の秋田県、一四三％の山形県、一一一％の新潟県には、飢えた人々が殺到。そのため元から住んでいた人たちとの軋轢（あつれき）が生じ、北海道などでは独立運動が盛んになった。昔で言うところの北前船（きたまえぶね）航路（こうろ）が活発になり、生産や物流の拠点はいずれも日本海側に移った。日本政府は、すでに長岡への首都移転を計画している。

こうした過程で、国民のおよそ八割が生活困難になった。職や預貯金を失った人は数知れず、すべてが配給制に移行したが、三年間は深刻な物不足が解消されず餓死者が続出したのである。

被災から三年後には、ＩＭＦ（国際通貨基金）が介入した。悪性インフレを鎮めるために「財産税」などの改革案を提示したが、国民はこれに憤慨。各地で暴動が起こった。治安は極度に悪化した。「東日本大震災」や「能登大地震」の際も〝火事場泥棒〟は出たが、その比ではない。多くの人が一瞬で食うや食わずの状況におかれたため、大人しかった日本人もさすがに暴徒と化した。

それでも被災者の中には、かえって裕福になった人もいる。それは家に米ドル現金や金（ゴールド）、さらにはダイヤモンドを持っていた人で、それを持ち出して逃げた人たち（さすがに金は重すぎて一部しか持って逃げられなかった。本当に役に立ったのはダイヤモンドだった）はハイパーインフレ下で購買力を大きく伸ばした。もちろん、それはごく一部の人だけである。国内の至るところにダイヤモンドのヤミ市場ができ、ダイヤモンドは信じがたい高値で取引され、〝第二の通貨〟と呼ばれるようになった。

日本社会全体で言うと、まさに縄文時代に先祖返りしたかのような時間が延々と続いた。食糧不足や疫病が慢性化し、被災からの一〇年間で日本の人口は四分の一も減っている。このままだと、かつての石垣島が経験した「失われた一〇〇年」に突入しそうだ。

それでも、約六六〇〇万年前の巨大小惑星チクシュルーブの衝突よりは、はるかにマシだった。当時は地球上の七五％の動植物が死滅した。今回の場合、フィリピン沖の周辺国はいずれも日本と似たり寄ったりの状況に陥ったが、地球全体ではなんとか克服できるレベルだと、SNSには書き込まれた。

＊　＊　＊

最悪を想定し、備えるべきだ

「二〇二五年七月」にこうした超巨大津波が実際に起きるかどうかは、まさに神のみぞ知ることだろう。しかし、私は前述したように「二〇二五年」という数字に不安を覚える。日本が、およそ四〇年ぶりの節目を迎えるという予感だ。歴史を振り返ると、こうした節目にはなぜか天災がよく起きている。

「愚者唯楽其極、智者先懼其反」（愚者はただその極まるを楽しみ、智者は先ず其の反らんことを懼る）という言葉がある。これは中国・明代の哲学者である呂坤（りょこん）が記した処世術「呻吟語（しんぎんご）」の一節で、おおよその意味は「愚かな者は、今の幸福（繁栄）を当然のものと考える。しかし、智恵ある者は今の幸福をありがたいと感謝しつつ、何よりもまずそれが反転することを危ぶみ、慎重にする」である。

つまり、単純に言えば「平時（好調時）から最悪を想定しろ」ということだ。巨大地震や財政破綻といった「起きる確率は低いが、起きた時には壊滅的な被害を出すリスク（テールリスク）」については、たとえ可能性が一％でもある限り、備えを怠（おこた）ってはならない。目先のことばかりに目を奪われて中長期的なリスクを軽視するのは、ハッキリ言って〝究極の愚行〟だ。

少なくとも向こう一〇年の日本は、数多くの困難に直面するだろう。そうした激動期に生き残れるのは、しっかりと準備をしていた人たちだけだ。ぜひとも経済危機や災害を他人事だと思わず、この本書を手に取ってくださった方におかれては、くれぐれも用心していただきたい。

第三章　生き残るために
——命懸けで財産と家族を守れ！

「いまの時代はね、すべてがもう混沌としているんです。
と言っても、これまで、とくに秩序だった時代なんか
一度もありませんでしたよ」

（フョードル・ドストエフスキー）

超巨大津波から大切な命を守るために

未曽有の巨大災害（特に高さ六〇メートルもの超巨大津波）に見舞われた時、なによりも大切なあなたと家族の命、そして財産をどのようにして守ったらよいか。本章では、その具体的なノウハウについて解説したい。

そこで本文に入る前に、あなたに十分認識してほしいことがある。というのも、今回本書で取り上げたような日本到達時で六〇メートルの高さに達するような津波の場合、日本の運命、そしてあなたの人生を根底から変えてしまうような衝撃的なことが起きる。したがって、次の三つにわけて生き残りを考えざるを得ない。

まず第一は、巨大津波そのものからあなたと家族の命を守ること。

第二に、日本の命綱（いのちづな）ともいうべき石油やＬＮＧ（液化天然ガス）のタンカーのための港湾施設や陸上げ施設および石油（原油）を貯蔵し、加工するためのタンクやプラントはすべて海岸の横にあり、そのすべてが消滅すると思っていただきたいということ。そして、その状況下でどう生き残るかを考えること。その全面復旧には、数年（おそらく五～六年）はかかるだろう。ということは、その間、ガソリン、灯油は入手困難となり、石油を原料とするさまざまな製品も新規購入は無理だ。さらに原発の多くが爆発または稼働停止、さらには火力発電所も海岸わきにあるため、停電が二～三年続くという信じがたい状況が出現する可能性がある。

第三に、さらに恐ろしい原発の爆発による、放射能被害への対策（特に原発から一五〇キロメートル以内に住む人）および、あなたが自分の住む地域から着の身着のままで逃げざるを得なくなった場合の生き残り方、さらにはあなたが逃げる必要がなかったとしても、その放射能難民が大挙してあなたの街に押し寄せてきた時どうすべきかを考えること。この三つの難問に対して、あなたは今から正しい準備をしておかなければならない。

生き残りのための三大難問

①　巨大津波そのものから
生き残ること

②　石油関連製品が
数年間供給不能および
原発停止による停電被害の
長期化から生活を守ること

③　原発爆発による放射能被害
および1000万人の難民
の1人に自分がなった時
あるいはその難民が
街になだれ込んできた時の
対処法を考えること

【生命編】

①とにかくパニックにならないこと

巨大災害に直面した時、状況を的確に判断し、適切な行動を取れるかが生死をわける。そのために何よりも大切なのは、パニックに陥らないことだ。パニックになれば当然、冷静な判断などできるはずがない。災害の程度を冷静に判断し、次に何をすべきかを考えて行動することが大切だ。

しかし、これは口で言うほど簡単なことではない。間もなく大津波が来るとわかれば、誰だって動揺するし、震度六や七というレベルの地震が起きれば、立っていられない。そのような厳しい状況の中でも生き残った人というのは、たとえその時はただただ必死に無我夢中で行動しただけだとしても、結果的に適切な行動を取っているものだ。

では、どうすれば適切な行動が取れるのか？　もちろん、その人の元々の性格も影響するだろうが、何よりも大切なのはあらかじめさまざまな状況を「想定しておくこと」だろう。東日本大震災の際も「想定外の〇〇」という言葉が散々飛び交ったが、そんなことを言っているようではダメだ。想定していなければ準備もできない。地震、津波、火山噴火など、巨大災害をあらかじめ想定しておくことで、物理的な準備はもちろん、心の準備もできる。想定外の出来事で不意を打たれれば、「一体何が起きた？」「恐い。どうしよう」と誰だって動揺する。あらかじめ想定しておけば、「ついにきたか」「やっぱり起きたか」と混乱と恐怖の中でも冷静に対応できる可能性が高まる。

その点で、本書を手に取られた読者は大丈夫だと思うが、「二〇二五年七月五日に巨大津波が起きる？　そんなことが事前にわかるはずがない」と考えるタイプの人は、危機に見舞われた時に生き残ることは難しいかもしれない。事態を想定していないので、当然十分な準備ができないからだ。生き残るためには、「万が一、起きた時に備えて準備しておこう」と考えるのが正解だ。実際には七月五日に何も起こらなかったら「良かった！」と思うと共に、七月六日以降もいつ起きても不思議ではないから引き続き準備を続ける。このように考えることができれば、巨大災害を生き残れる確率はぐっと高まるだろう。

そして最も重要なことは、自分独自の「有事行動マニュアル」を作って一週間に一回、必ず声を出して読んで頭に叩き込むことだ。後は、その通りに行動すればよいだけだ。

②巨大津波から生き残るために

海の近くにいる（あるいは住んでいる）時に津波が近付いてきた場合、判断の適否が容赦なく人々の生死をわける。人間は水中では生きられないから、津波に呑まれたら生き残れる確率は極めて低くなる。そのため、とにかく津波に呑まれないことが何よりも大切だ。

気象庁ホームページによると、日本では地震が発生してから約三分（日本近海で発生し、緊急地震速報の技術によって精度の良い震源位置やマグニチュードが迅速に求められる地震については約二分）を目標に、大津波警報、津波警報または津波注意報が発表される。津波の恐れのある海の近くにいて、これらの警報や注意報が発表された場合は、とにかくまずは海、川から離れ、高台や鉄骨の建物のできるだけ高い階に逃げることだけを考えることだ。

ほかのことは一切考えてはいけない。考えたらおしまいだ。とにかく、逃げることだけを考えるべきだ。財布を取りに自宅へ戻ったり、車に乗るために逆方向へ戻ったりしてはいけない。津波警報が発表されていなくても大きな揺れがあれば、直ちに避難の準備をすることを習慣にしたい。

地震発生から津波が到来するまでの時間は、震源からの距離が近いほど早くなる。一九〇〇年以降で最大の地震である一九六〇年の「チリ地震」（マグニチュード九・五）による津波は、地震発生から約一日後に日本に到達、三陸海岸沿岸を中心に各地に甚大な被害をもたらした。多くの日本人の記憶に鮮明に残る「東日本大震災」の津波は、地震発生の約二五分後に岩手県に到達した。また一九二三年の「関東大震災」では、震源が相模湾で沿岸部に近かったため、早いところでは地震発生後五分程度で津波が襲い大きな被害を出した。日本から遠く離れた場所で起きた「チリ地震」のように、津波が日本に到達するまで丸一日（つまり二四時間）かかるようなケースなら、避難するまでに十分な時間があるが、日本近海で発生した地震の場合は、わずか数分で津波が到達することもあり、即刻避難しなければ助からない。

ところが、真に恐ろしいことだが、地震発生からわずか数分の猶予さえもない津波襲来も起こり得る。つい最近、二〇二四年の元日に発生した「能登半島地震」による津波がまさにそうであった。

東北大災害科学国際研究所の研究グループが、国土地理院や米地質調査所（ＵＳＧＳ）のデータを基にシミュレーションしたところ、深刻な被害のあった石川県珠洲市では、驚くべきことに地震発生から約一分以内に津波が沿岸に到達したとの結果が得られたという。震源が沿岸付近で陸と海にまたがる断層が動いたため、地震発生とほぼ同時に津波が到達したと考えられると専門家は指摘する。震度六や七といった激しい揺れに見舞われた後、間髪入れずに津波に襲われるなど、考えただけでも恐ろしい。もしも海近くの戸建て住宅にいたら、この状況で津波から逃れるのは不可能に近いだろう。一階にいた場合、二階に上がることとさえ難しいかもしれない。ましてや家の外に出て高台に避難しようものなら、その瞬間に津波に呑み込まれてしまう。つまり、避難不可能な状況ということだ。

このような場合に、命を守るには避難しなくても助かる方法を考えるほかない。対策は、いたって簡単だ。そう、海の近くに住まなければよい。津波は河川を遡るから、川の近くも避けた方がよい。もしも今海の近くに住んでいるなら、家を引き払い内陸に引っ越そう。どうしても海の近くに住むなら、マンションの高層階（最低でも三階以上、できれば五階以上）か高台に住むことなどを検討した方がよい。そう簡単に引っ越せない事情がある人も少なくないだろうが、自分自身や家族の命が失われた後に残るのが後悔だけでは救われない。

地震大国の日本で地震を避けることはまず不可能だが、津波を避けることはその気になればできる。大地震に見舞われても生き残る人は大勢いるが、大津波に呑み込まれて生き残れる人は多くないはずだ。津波対策としては、〝津波を徹底的に避けること〟が唯一最善の対策であることを肝に銘じてほしい。

今回はフィリピンの東方沖海上での発生する可能性が高いため、日本に到達するまでに四、五時間の余裕があるので発生の情報をすぐに入手すれば、海の近くに住んでいてもうまく逃げられる可能性は高い。

二〇二五年七月五日の巨大津波に備え、同年七月中は可能なら海岸から一〇キロ以内には近付かないようにしたい。また、なるべく標高六〇メートル以上の場所にいるよう、心がけたい。同年七月四日から七月六日にかけての三日間は、特に要注意だ。この三日間は、午前四時に起床してテレビをつけて津波の情報に注意しよう。海の近くに住んでいる人は、七月三日の夜には海から十分離れた内陸部への移動を済ませておくことだ。少なくとも七月四日（金曜日）は仕事や学校は休み、津波の襲来に備えたい。必要なら、七月三日（木曜日）も休んで備えるべきだ。また、津波に関する情報収集も重要だ。「南海トラフ巨大地震」を扱った「ＮＨＫスペシャル」なども見ておくとよいだろう。

③サバイバルの本番は、巨大津波が去った後

巨大津波は日本の沿岸一帯に壊滅的な被害をもたらす。述べたように、津波そのものは避けることができるが、巨大津波がもたらす甚大な被害の影響はほぼすべての国民におよぶ。「私の家は海から遠く離れていて、津波は絶対に来ないから大丈夫」というのは、通用しないのだ。

巨大津波が日本の、特に太平洋側に到達した場合、日本経済はほぼ間違いなく壊滅的な打撃を受ける。いわゆる「太平洋ベルト」には、日本経済を支える三大工業地帯（京浜・中京・阪神）が連なる。これらの地域が津波にやられるわけだから、経済への影響は甚大だ。日本には石油備蓄基地があるが、島国ゆえすべて海岸にあるため軒並み壊滅的被害を受ける。沿岸部の石油コンビナート、ＬＮＧ基地も壊滅するため、ガソリン、軽油、灯油、重油、航空機燃料、その他、石油から作られるあらゆる製品が一瞬で供給不能となる。農薬や化学肥料を作るのにも石油が欠かせないため、農作物の生産効率も低下が避けられない。ただでさえ食糧自給率の低い日本にとって、これは致命的だ。

さらには、プラスチック、ビニールなど私たちの生活を支える基本的素材のほとんどが、実は石油から作られているのだ。その供給が数年（五年程度）途絶えるとなると、これはパニックを通り越して生活消滅の危機となる。〝文明消失〟に近いことが起きる。

〝物流〟も、深刻なダメージを受ける。ガソリンや軽油が不足するから、トラックや宅配便の運行が激減する。というより、ほぼなくなる。羽田、関空、中部などの空港は大規模浸水に見舞われ閉鎖に追い込まれる。東名高速や東海道新幹線なども津波被害により、一部の区間が長期間不通となる。その結果、スーパーやコンビニなどの商品棚からは品物がほとんどなくなるだろう。

中国や韓国などの港湾も巨大津波により壊滅的被害を受けるだろうが、その影響は日本にもおよぶ。たとえば、韓国の釜山などはいまや世界有数のハブ港で、日本が輸入するさまざまな物資が釜山港を経由して来る。そのため海外のハブ港の損壊も、日本の物不足に拍車をかけることになろう。

さらに、日本の沿岸部には原発も多数存在する。原発もおそらく三ヵ所以上が使用不能になり、電気、ガスなどのエネルギー供給が大幅に低下する。地域によっては、長期に亘る停電を余儀なくされる。工業製品、食糧、天然資源、エネルギーに至るまで、ありとあらゆる物が供給不足に陥り、物価が高騰する。インフレのすさまじさはかつての石油ショックの比ではなく、さながら「超狂乱物価」の様相を呈する。物によっては、一瞬で五―一〇倍に値段がはね上がるだろう。当然、国内は大パニックになる。

なぜパニック的なインフレになるかというと、極端な「物不足」になると考えられるからだ。価格がつり上がっても、その分のお金を出せば物は買える。しかし、そもそも物自体の供給がなければどんなにお金を積んでも手に入れることはできない。ちょうど、新型コロナパンデミック初期の〝マスク不足〟のようなイメージだ。当時は、ドラッグストアなどに開店前から多くの人が行列したが、それでもマスクの入手は非常に困難であった。巨大津波が日本の太平洋沿岸を襲えば、それがマスクに留まらず広範にあらゆる物資や食糧におよぶ可能性が高い。少なくとも短期的には、国内の治安も相当荒れるだろう。コロナの時のように、ドラッグストアの入口に整然と人が並ぶ「お行儀の良い日本人」の姿は見られなくなる可能性が高い。そこら中で物の奪い合いによる喧嘩が行なわれ、窃盗や暴行、略奪などの犯罪も多発するだろう。

さらに、もし原発が「東日本大震災」時のように電源喪失で爆発したら、大変なことになる。太平洋側で直接大津波に襲われる川内（鹿児島）、浜岡（静岡）、福島、女川（宮城）の四大原発は悲惨なことになるかもしれない。最大、一〇〇〇万人が「放射能難民」と化して隣接する地域へ逃げざるを得ないだろう。まさに、日本中で地獄絵図が繰り広げられることになる。それへの対策としては、①備蓄、②逃げる手段（バイクや電動自転車）、③地図や現金、④防犯対策などが考えられる。

④少なくとも三ヵ月は生きて行けるだけの備蓄をしろ！

このような事態に対応するにはどうすればよいか？　そう、あらかじめ必要な物資や食糧を備蓄しておくしかない。一般的に災害への備えについては、三日間は自力で生き残れる備蓄が奨励されている。たとえ大災害であっても、「阪神・淡路大震災」や「能登半島地震」のように被害地域が限定されていれば、被害のなかった他の地域からの自衛隊やボランティアなどによる救助や支援が期待できる。そのため、三日間の備蓄が奨励されるわけだ。

しかし、大規模な巨大災害ともなると、インフラの損壊をはじめ被害は広範囲におよぶ。被災数日後の十分な救助活動や支援など到底期待できない。そのため、物資や食糧が手に入らない状況が長期間続く可能性が高く、三日分ではとても足りない。そこで、少なくとも三ヵ月は自力で生きて行けるだけの備蓄をしておきたい。

【備蓄編】

①水・食糧

災害備蓄と言えば、真っ先に浮かぶのが「水と食糧」だろう。これがなけれ

浅井隆からのアドバイス〈その1〉

「自分に合った自分独自のサバイバルノウハウを作れ!!」

電気やガスの供給が二年も三年も止まるような状況下で、どう生きて行けばよいのか。たいていの人は、もうそこで絶望してしまう。しかし昔は（ほんの一〇〇年くらい前までは）日本人の半分以上が電気もガスもなしで普通に暮らしていたのだ。そう思えば、何でもない。〝逆転の発想〟で縄文時代はどうやって生活していたのかを調べながら楽しんでやってみようではないか。薪（まき）ストーブを設置したり、家庭菜園をやってもよい。マンションやアパートでもテラスがあればミニ菜園がやれる。関東なら長野や栃木に安い古民家を事前に買って、夏休み、正月などにシミュレーション滞在してもよい。関西なら奈良や丹波、岡山などに古民家を買ってもよい。作物の種も備蓄しておくとよいだろう。

電気がつかなくても、夜は星空がきれいだろう。星座を見ながら人類の歴史に思いを馳せるのも一興だ。何事も、物は考えようだ。便利さがなくても、心が豊かなら人生は天国だ。そして、よい本を読むようにしよう。本の備蓄も重要だ。停電が続けば、スマートフォンの充電もできなくなる。ITなしの原始生活も面白いではないか。井戸も掘ってみよう。井戸付きの古民家があれば最高だ。野草やキノコの「食べられる物のリスト」も重要だ。そしてなにより家族団らんだ。そしてよき隣人、友を今から大切にしておこう。結局は、〝心の時代〟になって行く。
日々是好日。至る処青山あり！　絶望は愚者の結論だ。

ば生きて行くことができない。飲料水は、「一人一日三リットルが必要」と言われる。三ヵ月分だと二七〇リットルが必要になる。「二リットル入りのペットボトル」なら一三五本分だ。それが人数分必要になる。三人家族なら八一〇リットル、四人家族なら一〇八〇リットルと、重さにすると一トンを超える。しかも、これは飲料用だけだ。それ以外の生活用水も必要になる。

これほど大量の水を確保するのは容易ではないが、自宅にスペースがあるなら「貯水タンク」の利用が考えられる。雨水を貯める簡易的なものから、給水管の途中に設置し常に新鮮な水に入れ替わるものなどがある。納屋や倉庫などの保管スペースがあれば、大量のペットボトル入りの飲料水の保管も可能だろう。アパートやマンション住まいの人はスペースが限られ、備蓄にはどうしても限界がある。しかし、絶対に諦めてはいけない。三ヵ月は無理かもしれないが、少しでもそれに近付けるよう努力すべきだ。自宅の近くにトランクルーム（レンタル倉庫）を借りておき、そこに備蓄するのも一つの手だ。

二リットルのペットボトルをなるべく多く備蓄するのは当然として、「ポリタンク」も絶対に備えておくべきだ。断水しそうになった時、蛇口から水を入れておくこともできる。また、突然の断水で蛇口から注水できなくても、給水車などで給水を受けるのにも欠かせない。スペースに余裕がない場合は、折りたたみ式のポリタンクを利用するとよいだろう。

突然の断水時に頼りになるのが、「風呂の水」だ。家庭の浴槽には一五〇リットル程度の水を貯めておくことができる。突然の断水などの際も、貴重な生活用水になる。風呂には常に水を張っておくとよい。入浴後、必ず浴槽を洗い、きれいな水を張る習慣を付けたい。

たとえ食べ物がなくても、人間は水さえあれば一週間くらいは生きられる。水だけは、何が何でも確保しなければならない。

食糧については、「保存食」や「非常食」を備えておくとよい。パン、うどん、米など多くの非常食が販売されており、五年保存の製品が多い。保存期間はやや短くなるが、常温で五七五日保存可能なサラダチキンや、賞味期限が六〇日間あり常温保存できる牛乳、賞味期限が三六五日の粉ミルクなどもある。高温加圧保存食品なら、常温での品質保持が可能だ。

その場合、非常食は賞味期限切れに十分注意したい。被災時に、とっくに賞味期限が切れていて食べられないようでは泣くに泣けない。忙しい日常生活の中でも、非常食の賞味期限の管理だけは絶対に怠ってはならない。

被災時にも普段の食事に近い物が食べられる利点から、非常食以外にも「普段の食事に使う物を多めにストック」しておくとよい。米、乾麺（そば、うどん、パスタなど）など、十分にストックしておきたい。調理に手間のかからないレトルト食品やフリーズドライ食品、缶詰、お菓子、パックご飯なども多めに用意しておくと便利だろう。栄養バランスにもできるだけ気を付けたい。被災時は野菜不足により、ビタミン、ミネラル、食物繊維などが不足しがちだ。日持ちのする野菜、野菜ジュース、ドライフルーツ、さらにカロリーメイトのような栄養補助食品、サプリメントなども用意しておきたい。庭やベランダなどで野菜を育てたり、野菜などの水耕栽培キットなどを利用するのも有効だろう。先ほど、浅井先生もコラムで述べておられたが、種も備蓄しておきたい。これらの食品を「ローリングストック法」（定期的に食べ、食べた分を買い足し備蓄して行く方法）でうまく利用したい。

食事については、ガスが使えない状況に備えて「カセットコンロとカセットボンベ」は必ず用意しておきたい。被災時に温かい物が食べられるかどうかは、メンタルに大きな影響を与えるに違いない。カセットボンベは一本で約六〇分使用可能だ。一日三〇分使うとすると、二日で一本消費する。ということは、四五本程度ストックしておく必要がある。

意外と見落としがちなのが、コンロとボンベの使用期限だ。一般にカセットコンロは製造後一〇年、カセットボンベは製造後七年が使用期限とされている。部品が劣化して火災など事故を起こす危険性が高まるため、使用期限のすぎた物は適切に処分し、新しい物に買い替える必要がある。特にカセットボンベは、ガスを抜いて処分する必要があるため厄介だ。時々、カセットコンロを使って鍋を囲むなどしてカセットボンベについても使い切って処分し、新たに買い直す「ローリングストック」を心がけたい。

②簡易トイレ

実は、水や食糧にも増して最も重要な備蓄品と言えるのが「非常用のトイレ」だ。空腹はある程度我慢できても、排泄を長時間我慢することはできない。断

浅井隆からのアドバイス〈その2〉

「冷蔵庫・冷凍庫は使えない」

今回のケースで一番気を付けるべきは、長期の停電に伴う冷蔵庫の使用不能である。これは、結構深刻な問題を引き起こす。平時の備蓄（スーパーでのまとめ買い）にしても長期用の備蓄にしても、冷凍庫に冷凍食品を入れておいたり、冷蔵庫で一週間くらいの保存は誰もがしている。ところが、冷凍庫も冷蔵庫も使えないとなると、特に夏場は大切な食材があっという間に腐ってしまう。しかも、スーパーやコンビニからは食品が消えてしまう。

そこで重要なポイントとなるのが、常温で半年以上もつ食材の事前確保である。たとえば、肉系であれば「サラミ」や「塩づけハムの固まり」などがある。野菜類であれば、「ビン詰めの漬け物」や「ピクルス」などがある。「レモン」も、生の物は結構もつだろう。なにしろ、常温で長期保存のきく食材を今から探すことだ。また、「チョコレート」は栄養価も高く、ある程度の期間の保存に耐えるので、まとまった量を備蓄しておくとよいだろう。
さらに、もし戸建てで庭があるならば、半地下式の小さな「食糧保存庫」を作るのもよいだろう。地下ならば、夏涼しく冬暖かいのでよいかもしれない。

水した場合、トイレは何よりも切実な問題になる。トイレ自体の損壊にも備え、災害用の簡易トイレを必ず備蓄しておくことだ。かさばらない、組み立て式のものが保管には便利だ。便座と共に、排泄物を入れる使い捨ての袋も大量に購入しておく必要がある。便座にセットし、使用後、付属の凝固殺菌剤を振りかけ、袋ごと処分できるタイプの商品が市販されている。一人あたり一日三袋使うとしても三ヵ月で二七〇袋必要で、三人家族なら八一〇袋用意することになる。トイレットペーパーも、三ヵ月分備蓄しておかなければならない。

③電気

「停電対策」も重要だ。停電となれば、家庭、職場を問わず照明はもちろんすべての電気製品が使えなくなる。特に夜間は、真っ暗になってしまい活動すらままならなくなる。停電に備え何を準備しておくべきか？　照明用に「ローソク」または「ランタン」を用意しておくとよい。電池不要で「ソーラー充電式」のランタンもある。複数のローソクやランタンを用意しておこう。

必要なのは照明だけではない。スマートフォンの充電にも電気が欠かせない。スマホに搭載された多くの機能は、災害時にも非常に役に立つ。電話や電子メールだけでなく、インターネットで情報を得ることもできるし、カメラやボイスレコーダー機能もあり、筆記用具がなくてもメモ代わりに使える。アプリをインストールすれば、ほかにもさまざまな機能を追加できる。被災時こそ、スマホは必須のアイテムだ。防災用のランタンや懐中電灯には、スマホの充電機能を備える商品もある。

「カセットボンベを利用するストーブ」も用意しておくとよい。特に、冬場に被災し電気やガスが止まった場合、貴重な暖房器具になる。

費用はかかるが、戸建てに住んでいて条件が合うなら、「太陽光発電システム」の導入は有力な停電対策になる。曇天時は利用できる電力が少なくなり、夜間は利用できないなど制約も多いが、蓄電池（ちくでんち）も併用することで停電時にも照明はもちろん、テレビや冷蔵庫などの家電も使用することができる。

「プラグイン・ハイブリッド（ＰＨＥＶ）車」も、停電時に役に立つ。「Ｖ２Ｈ」というシステムを導入すれば、ＰＨＥＶに蓄えた電気を家で使うことができる。電気自動車（ＥＶ）も「Ｖ２Ｈ」が導入できれば停電時に役立つが、ガソリンと併用できるＰＨＥＶにはかなわない。三菱自動車のＰＨＥＶ車「アウトランダー」の場合、満充電かつガソリン満タンでエンジンでの発電を組み合わせることで、最大約一二日分の電力量が供給可能だという。ＰＨＥＶならガソリンが補充できれば、発電しながらずっと電源として使うこともできる。

マンションなどで「Ｖ２Ｈ」機器の設置が難しい場合でも、「アウトランダー」にはＡＣ１００Ｖ電源が装備されており、車内で家電を使うこともできるし、エンジンをかけずにエアコンを使うことも可能だ。七人乗りで車内は広めなので、シートアレンジでほぼフルフラットにすることができ、大人二人が限界だが車中泊も可能だ。４ＷＤのＳＵＶ車でオフロード性能もそれなりに高い。災害時には道路の状態が悪くなるため、これも重要なポイントだ。災害（特に停電）を想定した場合、現時点では「アウトランダー」が最強の自家用車と言ってよい。

最近は、オール電化住宅も増えているが、すべてを電気で賄うオール電化は停電になればお手上げでリスクが高い。しかし、戸建て住宅に住んでいて太陽光発電システムに蓄電池、さらには「Ｖ２Ｈ」により給電できるＰＨＥＶ車も備えられる場合は、オール電化でも対応できる可能性はある。

実は災害時、ガスや水道に比べ電気の方が復旧が早い傾向がある。ガスや水道の場合は、地中の配管を復旧しなければならないケースが多く作業に時間がかかるが、電気の場合は主に地上にある電線を復旧させればよいからだ。東日本大震災の際も、電気は一週間程度で復旧したものの、ガスは復旧に五週間程度かかるケースが少なくなかったようだ。

このような充電・蓄電・給電システムを備えるのが理想だが、誰もができるわけではない。戸建てに住む人はよいが、マンションなどの集合住宅に住む人は不利だ。そのような場合も、可能な限りの対策を講じるべきだ。「ポータブル電源（ポータブル蓄電池）」を用意しておくとよいだろう。一般に、発電機に比べると定格出力が小さく使える電気製品も限られるが、最近ではかなり容量のある製品も出てきている。発電機と異なり、ガソリンなどの燃料が不要のため、排気ガスが出ず室内で使用可能だ。普段から充電しておけば、災害時に扇風機やノートパソコンなど小型の家電を使ったり、スマホの充電などが可能だ。デメリットとしては、充電した分を使い切ってしまうと、再度充電するまで使えないことだ。それをカバーするために、「折りたたみ式の太陽光発電パネル」を接続してソーラー充電できるポータブル電源を選ぶとよいだろう。

④その他の備蓄

ほかにも「マスク」「ティッシュペーパー」「ウェットティッシュ」「消毒液」「薬」「乾電池」「使い捨てカイロ」など用意すべき物はたくさんあるはずだ。必要な物は一人ひとり異なる場合が多々あるだろうから、各自で災害を想定し、何が必要かを真剣に考え、しっかり準備していただきたい。

水が貴重になる可能性を考えると、「ドライシャンプー」も備えておいた方がよいだろう。同様に、水の節約の点で役立つのが「食品用のラップフィルム」だ。食事の際、普段使う食器にラップフィルムをかぶせてその上に料理を乗せ、食べ終わったらラップフィルムを外して処分すれば食器を洗わなくて済む。

「現金」も必要だ。最近は都市部を中心にキャッシュレス決済が浸透しているが、停電になればクレジットカードも電子マネーも二次元バーコード決済も使えなくなる可能性がある。頼みのATMも使用中止になれば、どうにもならない。そのためにも、現金は多目に持っておく必要がある。最低限五万円程度は常に財布に入れておきたい。食べ物を買うにも、タクシーを使うにも、お金がなければ話にならない。それとは別に、自宅にも五〇万円くらいの現金を用意しておくと安心だ。その際は、一万円札だけでなく一〇〇〇円札や小銭もあった方がよい。

非常持ち出し袋の中身も定期的に見直し、バージョンアップを図りたい。ついつい、あれもこれもと詰め込みがちだが、一次避難においては一刻も早く避難する必要がある。荷物はなるべく軽くコンパクトに収めるよう心がけたい。荷物が重くて、走って避難することができないのでは話にならない。

⑤原発事故対策

原発の近くに住んでいる場合は、さらなる準備が必要になる。特に、避難するための準備だ。ひとたび原発事故が起きれば、少しでも早く、少しでも遠くへ避難する必要がある。まさに一刻を争う事態だ。車で避難して、渋滞に巻き込まれることも許されない。

そんな時に役に立つのが「バイク」だ。車の普通免許があれば排気量の少な

浅井隆からのアドバイス〈その3〉

「備蓄品と予算をうまく勘案する」

こうした備蓄についてだが、誰でも予算には限界があるものだ。その限られた予算をうまく使って、あなたにとって最適のオリジナル備蓄セットを作る必要がある。

そこで、まず予算をはっきりと書き出し、反対側には備蓄すべき物を書き出して行くが、そこには優先順位を番号で明示すべきだ。それを勘案（かんあん）しながら、あなたオリジナルの備蓄セットを作ってほしい。

い原付も運転できる。燃費も良いので、かなり長距離を移動できるはずだ。特に、ホンダの「スーパーカブ」は燃費が非常に良く、燃料を満タンにしておけば三〇〇キロ近くは走行可能だ。車の免許がない人も原付免許を取ればスクーターの運転ができる。免許がなく、取得も難しいなら「電動自転車」を使うのも手だ。スクーター、電動自転車、最低でも普通の自転車などの移動手段を常に確保しておくべきだ。荷物を積めるカゴやバッグを、事前に備え付けておこう。自治体が発行するハザードマップなどであらかじめ避難ルートを確認し、そのルートを実際に通ってみるとよい。

防護服や高性能のマスク、ゴーグル、手袋など、被ばくを防ぐ装備は必須だ。

■物資や食糧の供給不足は数年間続く可能性も

三ヵ月分の備蓄をするのは結構大変だと思うが、自分と家族の身を守るためには実行するしかない。では、三ヵ月分の備蓄さえすれば無事に生き残ることができるのかというと、残念ながら「必ず生き残れる」と断言はできない。

実際に、超巨大津波が日本に襲来した場合、日本のとりわけ沿岸部は極めて広範囲にわたり壊滅的被害を受ける。コンテナヤードやガントリークレーン、倉庫、桟橋などの港湾施設、大型船の離着岸の補助や乗員の送迎に欠かせない

浅井隆からのアドバイス〈その4〉

「災害時、国や自治体は頼れないと思え！」

本書で述べたような大災害が本当に発生した場合、もはや国や地方自治体はアテにならないと覚悟した方がよい。あまりにも被害が広範囲かつ大規模になった場合、警察や消防、自衛隊の救助も支援もそして物資支援も、ほぼないと覚悟すべきだ。

しかも、そうでなくとも日本国はＧＤＰの二六〇％にものぼる天文学的借金を抱えて破綻寸前なわけだから、一旦大災害がやって来れば銀行も引き出しが制限されると思っておいた方がよい。したがって、あなたが自分の才覚と覚悟によって、家族や友人と生き残って行くしかない。

タグボートや通船などの小型船も損壊（そんかい）は免（まぬか）れまい。石油や天然ガスなどの貯蔵施設、精製施設、その他、臨海部にあるさまざまな工場施設も壊滅する。

これらの復旧には、普通は何年もかかるに違いない。急ピッチで復旧を進めるにしても、数ヵ月で復旧できるとは考えにくい。物資や食糧の供給不足は、何年にも亘って続くことを覚悟すべきだ。警察や自治体も機能しなくなり、無法状態が長期化する可能性もある。

そうなると、大切になるのは近隣との助け合いだ。自治会や町内会、あるいはマンションなどの小規模なコミュニティで自警団のような組織が生まれ、食糧や物資の入手、治安の維持を図るといった状況になるだろう。自分の居住地域が津波の被害や原発の放射能汚染から無事だった場合、放射能に汚染された被災地から、〝ゲルマン民族の大移動〟さながらに大量の避難民がなだれ込んで来ることになろう。その数は、全国で一〇〇〇万人規模になっても不思議ではない。その時、自治体が機能不全に陥っていれば、避難民の受け入れも民間主導で行なわざるを得なくなるはずだ。

避難民を受け入れた一部の家庭では、窃盗や強盗、強姦などの事件も起きるだろう。ついには、二〇一二年に発覚した「尼崎事件」のように家族が乗っ取られ暴力と恐怖による支配の末、次々に命を奪われる凄惨な事件まで起きる。人の善意を裏切るこうしたごく一部の人間の所業が、人々の分断と対立をあおることになる。避難民と避難民以外の人々との対立はもちろん、避難民以外の人同士も避難民受け入れの是非をめぐり対立が激化する。このような状況を受け、政治の舞台では極右勢力が台頭するだろう。

こうして人心は荒廃し、治安もさらに悪化して行く。防犯・セキュリティ対策の重要性がますます高まるに違いない。

【財産編】

■大切な財産をいかにして守るか

すでに述べたように、日本列島、特に太平洋沿岸を巨大津波が襲えば、工業製品、食糧、天然資源、エネルギーに至るまで極端な供給不足に陥り、パニック的なインフレになる可能性が高い。もちろん、津波により損壊したインフラの復旧が進めば、やがて経済は復興・正常化するし、言うまでもなく政府もそれを目指す。

ところが、日本がこのような巨大災害に見舞われた場合、十分な復旧・復興が遂げられるのかは非常に疑わしい。第二章で述べたように、被害額が想像を絶するほど巨額になる可能性が高いからだ。

現時点で、すでに日本の財政は破綻寸前と言えるほど悪化を極めている。借金依存で財源に余裕がないところに、巨額の復興予算を組む必要に迫られる。民間経済が大打撃を受ける中、税収も激減する。増収を図ろうにも、このような状況で本格的な増税などできるはずがない。あてにできる財源は国債、つまり〝借金〟くらいのものだ。

こうして「国債の大増発」が行なわれる。国債価格は暴落し、日本国債は大幅に格下げされる。日銀がなり振り構わず国債を購入することで国債暴落は避けられるかもしれない。しかし、そのゆがみは為替相場に現れ、大幅な円安が進行する。円の暴落だ。輸入物価が一気に押し上げられ、インフレが加速する。

そうなるともうお手上げで、インフレを少しでも抑えるため、日銀は大幅な利上げに追い込まれる。金利を低く抑えることも、国債を買い支えることもできなくなるわけだ。政府が抱える借金の利払いは、加速度的に増加する。つまり、このような巨大災害に見舞われればこの国の財政は一瞬にして破綻するということだ。

人々はまず銀行に押しかけて、一刻も早く預金を引き出そうとするだろう。一種の〝取り付け騒ぎ〟の発生だ。大量に現金が引き出されたら、銀行が潰れて〝金融不安〟となる。やがて銀行は閉鎖されATMだけの営業となり、一日一人五万円と制限がかけられる。人々の生活は、早朝からATMに並ぶことから始まる。それでも引き出せた人はいいが、午前一〇時すぎにはATMの現金もカラとなって泣き崩れる人が続出する。

災害が直接もたらすパニック的なインフレは復旧・復興が進めば収まる性質のものだが、日本の場合、財政が破綻する結果インフレは収まらない。むしろ、財政悪化が引き起こす〝財政インフレ〟に移行することで、インフレはますますひどくなるだろう。

このような状況の中で自分の財産を守るポイントは、「インフレに強い資産を持つ」ことだ。

インフレとは、物価が上がることだ。物価が上がると、お金の価値は下がる。たとえば、ここに二種類の車がある。五〇〇万円のA車と二五〇万円のB車だ。その後、物価が二倍になったとするとA車の価格は一〇〇〇万円に、B車の価格は五〇〇万円にそれぞれはね上がる。以前なら五〇〇万円でA車を買うことができたが、今は一〇〇〇万円払わなければA車を買うことはできない。五〇〇万円で買うことができるのは、B車だ。しかし、B車は元々二五〇万円で販売されていた。ということは、今の五〇〇万円は、以前の価値に引き直せば実質二五〇万円ということになる。物価が二倍になった分、お金の価値は半分になったということだ。

しかし、このような状況にあっても、あらかじめ「米ドル」を持っていれば資産価値を保全することができる。お金の価値は為替レートに如実に現れる。物価が二倍になり円の価値が半減した時、仮に米ドルの価値が変わらなかったとしたら為替レートは二倍の円安になる。計算しやすいように、為替レートが一ドル＝一〇〇円だったとすると、それが一ドル＝二〇〇円になるということだ。為替レートは日々、さまざまな要因で変動するためピッタリこの通りにはならないが、おおむねこのような動きになると考えられる。

A車とB車に話を戻そう。一ドル＝一〇〇円の時に五〇〇万円のA車は、五万ドルに相当する。五万ドルあれば、五〇〇万円のA車が買えるわけだ。その後、物価が二倍になりA車の価格が一〇〇〇万円になったらどうか？ その時、為替レートが一ドル＝二〇〇円になっていた場合、五万ドルは一〇〇〇万円に相当する。つまり、同じく五万ドルで一〇〇〇万円に値上がりしたA車が買えるわけだ。これが、日本国内のインフレ時に米ドルをはじめとする外貨で資産を保全できる基本的な理屈だ。

国が破産すると、〝ハイパーインフレ〟と呼ばれる極端なインフレを引き起こすことがある。物価が二倍、三倍になるのは序の口で、一〇倍、一〇〇倍、一〇〇〇倍、一万倍、あるいはそれ以上になるというから恐ろしい。

仮に、物価が一〇〇〇倍になったとしよう。五〇〇万円のA車の価格は、五〇億円になる。五〇〇万円の実質価値はわずか五〇〇〇円となり、自動車どころか自転車一台すら買えなくなる。それでも資産を米ドルで持っていれば、五万ドルで五〇億円に値上がりしたA車が買えるということになる。

いずれにせよ、財産のほとんどを円の預貯金で持つ人は、インフレによりその実質的な資産価値が大きく損なわれることになる。特に日本の場合は、インフレに加え、財政破綻に備えた対策を考える必要がある。これについては、浅井先生に「国家破産対策」として一六〇ページにまとめていただいたので、ぜひお読みいただきたい。

浅井隆からのアドバイス〈その5〉

「具体的な津波＋国家破産対策」

①米ドル現金

米ドル現金をできれば生活費の一年分、少なくとも半年分くらいは用意しておくべきだ。一〇〇ドル札のような高額紙幣ばかりではなく、一ドル札、二ドル札、一〇ドル札、二〇ドル札などの小額紙幣も十分用意しよう。保管の際は、紛失や盗難、火災などのリスクに十分注意しよう。

米ドル現金は、外貨両替専門店、金券ショップ、空港の外貨両替所などで入手できる。外貨両替専門店の為替手数料は、一ドルあたり片道一・五円～二・五円程度が多いそうだ。なるべく両替手数料が安く、使い勝手のよい業者を選ぶとよい。現在は国内のほとんどの銀行で外貨の両替サービスが終了しているが、私が主宰する会員制クラブ（プラチナクラブ・ロイヤル資産クラブ・自分年金クラブ）では、条件を満たせばなんと手数料無料で米ドル現金を入手できる銀行の情報提供もしているから、会員になって利用するのもよいだろう。

②金（ゴールド）

国際商品の金（ゴールド）は実質的にドル建て資産であり、インフレに強い。古くから戦争や経済危機などの際に資産の逃避先として利用されており、国家破産時にも資産価値の保全に役立つ可能性が高い。金は、必ず保有するべきだ。

しかし金は、国家により没収されるリスクがある。過去には世界恐慌時のアメリカ、そして終戦直後の日本でも金の没収が行なわれたというから驚く。危機の時に金を求めるのは国家も同じ、ということか。国家破産対策に有効だとはいえ、あまりに多くの金を保有するのはかえってリスクが大きい。資産全体の一割程度を金で保有するのがよいだろう。必ず地金やコインなどの現物で保有し、一〇〇グラム程度の地金を複数購入するのがベストだ。

③ダイヤモンド

さらに、津波＋国家破産対策としてダイヤモンド（以下ダイヤ）の保有を強く勧めたい。没収リスクなど、金のデメリットをカバーできるのがダイヤを推奨する理由だ。ダイヤは透明度、色、カットなどにより、同じ重量のダイヤでもそれぞれ価格が大きく異なる。しかし、ダイヤを適正に評価するには専門的な知識、技術が必要だ。つまり、素人にはそのダイヤにどの程度の価値があるのかわからないわけだ。そのため、ダイヤは国家権力に注目されにくく、没収されるリスクが低い。金と同様、ダイヤも実質的にドル建て資産のため、円が暴落した場合には値上がりが期待できる。

軽くて持ち運びが容易なのも、ダイヤのメリットだ。金はとにかく重い。一億円分なら約一〇キロだ。しかし、ダイヤは軽い。一カラットのダイヤは、わずか〇・二グラムだ。それでいて、ある程度高品質のものであればその価値は一〇〇万円を超える。一カラットのダイヤを一〇〇個持てば、優に一億円を超えるが重さは二〇グラムにすぎない。これなら子供でも持ち運ぶことができる。

巨大災害などの非常時に、まとまった資産を持ち運ぶのにダイヤは打って付けなのだ。巨大災害や国家破産といった有事に生き残りを考えるなら、ダイヤの保有は必須だ。金と同様、資産全体の一割程度をダイヤで保有することをお勧めする。自分の居住する地域が被災し、避難を余儀なくされた場合に備え、ダイヤはすぐに持ち出せるようにしておくべきだ。非常持ち出し袋に入れてお く、あらかじめ服に縫い付けておくなど、各自工夫されたい。ダイヤを持ち出す際も、収納場所の分散は必須だ。たとえば、非常持ち出し袋に入れておいたものの、袋自体を紛失したり盗まれたりしたら一巻の終わりだ。子供を含め、家族の非常持ち出し袋や服など必ず複数の場所に収納しておこう。

特に、自宅が沿岸部にあったり原発から十分に離れていないなど、被災時に避難を強いられる可能性がある場合、ダイヤをまったく保有しないことはもはや自殺行為と言える。

ただし、一般的にダイヤは売買価格差が非常に大きく、デパートなどで購入したダイヤを買い取りに出すと、数分の一程度の価格しか付かないのが普通だ。

これではなかなか資産防衛に利用しづらい。そこでお勧めするのが、私が代表を務める（株）第二海援隊が運営する「ダイヤモンド投資情報センター」だ。同センターの情報を使えば、一般には考えられないほど有利な価格（デパートの三分の一程度）でダイヤを買うことができる。

実は、ダイヤには専門のオークション市場があり、そこに出入りできる限られた業者を通じて売買するルートを利用することで有利な価格での売買が可能になる。この業者が扱うダイヤには、ダイヤの世界的な鑑定機関「ＧＩＡ」（米国宝石学会）の鑑定書が付いているので品質は間違いない。避難時に、ダイヤと共に鑑定書のコピーも持ち出せるよう準備しておこう。また、鑑定書のコピーは避難先になり得る親戚の家にも預けておくとよいだろう。巻末に、「ダイヤモンド投資情報センター」の連絡先を掲載してあるので利用されるとよい。

④海外口座

インフレ対策、津波による国家破産対策には「米ドル」がポイントになる。

先に挙げた米ドル現金はもちろん、金（ゴールド）、ダイヤにしても実質的に「米ドル建ての資産」だ。米ドル建ての資産と言えば、多くの人が思い浮かべるのは「米ドル預金（外貨預金）」だろう。最も身近なドル建ての金融商品で、多くの銀行で扱われている。もちろん、インフレにはある程度対応できる。

しかし、国家破産対策としては不安が残る。国家破産などの有事の際には、預金封鎖などの平時には考えられない規制がかけられることがある。終戦翌年の日本では、銀行預金が封鎖された挙句に高額の財産税がかけられた。国内にある金融商品は、その国の政府や関係当局の管理下にあるため、そのような規制の影響がおよび得るのだ。

そのような影響を回避するのに有効なのが、「海外銀行口座」だ。同じ米ドル預金でも、お金そのものが海外銀行にあれば日本の当局が封鎖することなど不可能だ。また、海外銀行が発行する「デビットカード」も国家破産対策の強力な武器になる。デビットカードは、ビザやマスターなどのクレジットカード加盟店なら日本を含め世界中どこでも買い物に利用でき、預金口座から即時決済される。国際的なＡＴＭ網と提携したキャッシュカード機能もあり、日本国内のＡＴＭでも海外口座の預金を引き出すことができる。海外口座のデビットカードは外国人が保有するものと同じだから、国家破産時に預金封鎖が実施された場合でも使える可能性が高い。破産した国にとって、外貨収入は非常に貴重なものだからだ。米ドル現金と同様、デビットカードは国家破産時の日々の生活を支える心強い決済手段となるだろう。

このように、海外口座の利用は国家破産対策の有効な手段になる。とは言っても、たいていの人は海外の銀行など知らないし、どの銀行を選べばよいのかなど見当も付かないに違いない。実際、世界に存在する数多くの銀行の中で、日本に住む日本人にとって本当に役立つ海外口座はごくわずかしかない。その銀行やその国の安全性に問題はないか、日本に居ながら送金などの手続きが可能かなど、チェックするべきポイントは多い。中でも多くの人にとって、言葉の問題が最も高いハードルになるに違いない。「日本語対応の有無」は非常に重要なポイントだ。万が一、トラブルが発生した場合にも、英語でやり取りして解決を図る自信がない人は必ず日本語対応のある銀行を選ぶべきだ。

安全性が高く、日本語対応があり、日本に居住する日本人にも使い勝手の良い海外銀行は主にシンガポールとハワイにある銀行だ。各銀行の特徴を一六九ページの図に示す。

海外銀行の口座開設自体はそれほど難しいものではないが、開設後の口座の管理をきちんと行なわないと、後々深刻なトラブルを招くリスクがある。口座を利用せずに何年も放置したため、預金が凍結され容易に引き出せなくなるといったトラブルも珍しくない。安易な海外口座開設は禁物だ。無用なトラブルを避けるためにも、私が主宰する会員制クラブのように海外口座の情報を豊富に持ち、信頼できる専門家のサポートを受けながら海外口座を開設・利用するのが賢明だ。

⑤海外ファンド

国家破産対策に非常に有効な海外口座だが、必ず本人が現地に行かなければ口座開設ができない。忙しくてシンガポールやハワイに行く時間がない、あるいは体力的に海外渡航は厳しいという人もいるだろう。

そのような人にも、海外口座の代わりになる有効な国家破産対策手段がある。それが「海外ファンド」だ。私が主宰する会員制クラブ（プラチナクラブ・ロイヤル資産クラブ・自分年金クラブ）で情報提供している海外ファンドはすべて日本国内に居ながら投資できる。申込書は郵送のやり取り、投資資金は本人名義の銀行口座から海外送金することで、海外ファンドへの投資が完了する。海外口座と同様、海外ファンドについても資産を海外で保有することになるので、有事における日本の規制の直接的影響を避けることができる。海外口座開設が難しいという人は、ぜひ海外ファンド投資を検討するとよいだろう。

ファンドのポートフォリオ（投資するファンドの組み合わせ）の中核として私が一番に勧めているのが、「ATファンド」だ。値動きが非常に安定しているファンドで、二〇一四年八月の運用開始以来一〇年近くもの間、一度も下落したことがなく常にプラスの成績を出し続けている。五～六％程度のリターンを

日本人が利用しやすい海外口座

シンガポールの銀行

預入額が20万米ドル相当額以上とややハードルが高いが、複数の日本人スタッフが在籍し、日本語対応が非常に充実している。日本との時差がわずか1時間と小さいのもメリット。預金以外にも、株式、債券、ヘッジファンドなど、世界のさまざまな金融商品を扱っており、幅広い資産運用が可能。

ハワイの銀行

複数の日本人スタッフが在籍し、日本語対応が充実している。お勧めできる銀行は2つあり、一行は預入額が25万米ドル（約3,750万円）以上で個別に担当者が付き、さまざまな手続きや質問にも日本語で対応してくれる。もう一行は数百米ドル（数万円）程度の小額から口座開設可能。小額の場合、担当者は付かないが、電子メールを使い日本語で対応してくれる専門部署がある。米ドル預金しかできないが、基軸通貨の米ドルで1人につき25万ドルという世界で最も充実した預金保険を備えており、万が一の銀行破綻時の安心感が非常に高い。

「2025年の衝撃〈下〉」（浅井隆著　第二海援隊刊）」より

毎年上げている。

主に、個人や企業などへの融資を中心に運用されるファンドだ。金利が上乗せされて資金が返済されることで収益を上げる仕組みだ。貸し倒れが増えれば、ファンドの成績が悪化するから、当然、適切な与信管理に努めている。さらに、融資の種類や融資対象も世界の幅広い地域に広げ、リスク分散を図っている。「ATファンド」には、二万五〇〇〇米ドル（約三七五万円）から投資できる。

これらの会員制クラブでは、「ATファンド」以外にも上昇相場に強いファンド、下落相場に強いファンド、危機に強いファンド、市場の値動きが乏しい時に強いファンドなど、さまざまなタイプのファンドを情報提供している。これらの異なるタイプのファンドを効果的に組み合わせることで、資産を守りつつ殖やすことが可能になる。

これらのクラブのうち、最も歴史の古い「ロイヤル資産クラブ」は、設立から二〇年以上が経つ。「プラチナクラブ」「自分年金クラブ」と合わせ、多くの会員が入会し、一〇年以上に亘り会員を続けている人も多いというから会員の満足度も高いと自負している。国家破産対策に重点をおいた投資助言クラブというのは珍しい。少なくとも私は、これらのクラブ以外に聞いたことがない。多くの人にとって、いきなり「海外ファンド」と言われても何が何だかよくわからないことだろうから、これらのクラブで勉強するのも一案かもしれない。

巨大災害に対応する財産防衛策とは、詰まるところ国家破産対策とイコールである。有事において大切な財産を守るために、国家破産対策を盤石なものにしていただきたい。その点で私が主宰する会員制クラブや発信する情報は、国家破産対策の強力な武器になるはずだ。

「オプション取引」を使って巨大災害という大ピンチを大チャンスに

最後に、資産防衛に関するとっておきの情報をお伝えしよう。あなたは「オプション取引」というものをご存じだろうか？　オプション取引は先物取引をさらに発展させた金融派生商品で、いわば先物取引の親戚のようなものだ。ただし値動きの点では、下手をすると先物の数十倍激しいものだ。驚くべきことに、オプション取引を使えば、数週間あるいはわずか数日で、投資額を数十倍あるいは数百倍に殖やすことも可能なのだ。

もちろん、確実にそうなるなんてことは当然なくて、リスクはある。しかしオプション取引の場合、自動的に損失を限定するなどのリスク管理が可能だ。日本でも、日経平均株価を対象にした「日経225オプション」という取引が活発に行なわれている。二〇二五年七月の巨大災害に備え、この日経225オプションを手がけるのも有効な戦略となる。

浅井隆からのアドバイス〈その6〉

「賢者のノウハウ＝オプション」

二〇二五年七月の〝大ピンチを大チャンスに変えるとんでもない方法〟が一

つだけあるのだ。もしも、本当に大災害がやってきて経済が大きな影響を受ければ、株（日経平均）は大暴落し、その後反発（三分の一戻しくらい）する。それをうまくとらえれば、投入資金を一万倍くらいにすることが可能な特殊な方法が存在する。一〇〇万円が、わずか一、二ヵ月で一〇〇億になる計算だ。そんな信じがたい方法が、この世の中に本当にあるのか。それこそ「日経平均に連動したオプション」だ。私（浅井隆）は、そのオプションを三〇年近く研究し、数年前に「オプション研究会」を立ち上げた。それについては詳しく巻末の一七九ページに掲載させていただいたので、ぜひ読んでいただきたい。これこそが、あなたが勝ち残り億万長者となれる唯一の方法だ。

しかし、もしあなたがそうした大金を手に入れることができたとしたら、少なくともその一〇分の一は世のため人のために使っていただきたい。特に、日本を改革するため、世の中を変えるための軍資金として使っていただきたいと思う。そうした志を持った人間のみが、そうした資金を持つ資格があると言ってよいだろう。

エピローグ

天は自らを助くる者を助く

（ベンジャミン・フランクリン）

私がこの本を書いた理由

私は、「超常現象」や「ユダヤ陰謀論」などは信じないタイプの人間だが、この「二〇二五年問題」だけはどうしても気になって、このような不思議な本を書くハメになってしまった。

というのも、私は日本の財政事情に早くから警告を発してきた浅井隆先生の話を昔から聞いていたので、世界一の借金大国となってしまった日本にこのような天災が襲いかかったらひとたまりもないと心配になったのだ。

つまり、もしここに六〇メートルの津波などという大天災が襲いかかれば、政府は一瞬で破産し、「ハイパーインフレ」「預金封鎖」「円の暴落」という経済大災害が国民全員に降り注いで来る。もちろん年金も消滅してしまうだろう。

実際のところ、たつき諒先生の言う大災難がやって来る確率は、二〇％以下だろうと私も考えている。しかし、もし本当にやってきたら、この国は根本からひっくり返ってしまう。しかも、この世の中にはわずかだが、予知能力を持った人間が存在するのも事実だ。そうした能力を無視したり、否定するのもナンセンスな話だ。

とすれば、賢者はどう行動すべきか。「ひょっとしたら」と用心し、備えだけをしておくべきだ。そして、もし何もやって来なければ、「ああ、良かった」と笑い飛ばせばよい。やはり、人類の歴史がスタートした時から、いつも「賢者は最悪を想定しつつ、楽観的に行動する」ものだから。

（追伸）本書で取り上げた大災害が、できれば起きないことを祈っている。起きた場合は、前代未聞の被害が発生することが想定される。というわけで、多くの人が念のために知っておいて、何もなかったら良かったという発想で一応準備をしておいて頂ければ幸いである。

二〇二四年二月吉日

神薙　慧

第二海援隊からの重要なお知らせ

——津波および国家破産を勝ち残るための具体的ノウハウ

■今後、『ドルの正しい持ち方』『2025年・国債バブル崩壊・超円安・株大暴落』（すべて仮題〈これらはすべて浅井隆著〉）を順次出版予定です。ご期待下さい。

「オプション研究会」のご案内（この文章はオプションに詳しい浅井隆が執筆）

これから、本文の最後で触れた「オプションとは何か」についてかなり詳しくご説明するので、少し長くなるが必ず全文を読み通して、大チャンスをあなたの手でつかみ取ってほしい。

＊　　＊　　＊

私（浅井隆）がオプション取引について知ったのは、今から三〇年近く前、日本の株バブルが弾けた直後であった。確か、九〇年の四月か五月頃だったと記憶しているが、私は株の暴落を事前に予測していた人物がいることを知った。それが「浦宏（うらひろし）」という相場師であった。彼は当時、『週刊文春』に連載記事を書いていた。そして『週刊文春』の九〇年正月号で、「九〇年早々から日本の株はとんでもないことになる。それは普通の暴落ではなく、今までとまったく違うトレンドが始まる」と、暴落のことをはっきり書いていたのだ。正月号ということは、年末ギリギリに締め切りがあり、原稿はそれより前、遅くてもクリスマス頃には書き上げていなければならないはずだ。株は、まだまだ上がっていた時だ。一二月二九日の大納会で日経平均が史上最高値を付けたわけだが、恐るべきことに彼はその直前に、翌年の大暴落を予見していたのだ。私はその記事を読み、「すごい人だなあ」と感心し、ぜひ直接会って話を聞きたいと思った。

早速、私は浦宏の自宅を訪ねた。実際に会ってみると、彼はかなりの変わり者であった。宮崎県の出身で、当時すでに七〇歳くらいだったと思う。大柄で目がギョロッとしていて、映画『スターウォーズ』に登場する『ジャバ・ザ・ハット』を思わせるその風貌は、とても迫力があった。

彼は無類の酒好きで、しかも高い酒が好きだった。ある時私に、「俺の予測を聞きたいなら『ルイ一三世』を持ってこい」と言った。「ルイ一三世」は、コニャックという良質のブランデーで、当時デパートで買うと一本一八万円くらいはした。私は安月給の中からコツコツ貯めた貯金を取り崩し、「ルイ一三世」を買って彼の家に持って行った。「先生、『ルイ一三世』を買ってきました。これで間違いないですよね?」と聞くと、「おう、これだよ」と言って、バカスカ飲み始めた。私にも一口くらい飲ませてくれるかと思ったら、その気配すらない。私は涙が出そうだった。でも、何も言えない。「先生、美味しいですか?」と聞くと、「うまいなあ。これはいいわ」と言って、あっという間に半分くらい飲んでしまった。本当にケチで変わり者だったが、それこそ「最後の相場師」みたいな人で、実に勉強になった。今はもう、あんな人はいないだろう。

私は当時、毎日新聞のカメラマンだったが、本業の傍ら経済や金融に関する取材を独自に行なっていた。東京市場の暴落に関わっていたソロモン・ブラザーズについても取材した。そして一九九二年、私は徳間書店から『日本発、世界大恐慌！』という本を出版した。この本は、私が初めて書いた経済トレンド本であった。

それを読んだ読者の中に、当時、TBSの現役プロデューサーであったJ氏がいた。J氏はテレビ業界では有名な人で、TBSを代表するプロデューサーだった人物だ。高度成長期には、多くの有名な歌番組をプロデュースした。その後、『関口宏のサンデーモーニング』などの報道番組も手がけた。

実はJ氏は、バブル期に株式投資で痛い目に遭っている。ある政治評論家がJ氏に「近々、XX株が上がる。買っておくといいぞ」と囁いた。その気になったJ氏は、その株に投資した。しかも、あろうことか現物ではなく信用取引で買ってしまった。結果は、大暴落。彼は、数千万円もの借金を抱えるはめになった。損失をなんとか取り戻そうと考える中、たまたま私の書いた本を読み、私に電話をかけてきたのだ。

Ｊ氏は私に会うなり、『サンデーモーニング』の経済関係の取材を手伝ってほしいという。私は協力することにした。私はＴＢＳが用意したハイヤーを使い、Ｊ氏と一緒にさまざまな取材をした。毎日新聞の一カメラマンにすぎなかった私は、よく赤坂の高級すし屋などでご馳走になり、「さすが、ＴＢＳの大物プロデューサーは違うな」と思ったものだ。

一九九〇年二月から大暴落し始めた日経平均（株価）は、ついに九二年八月に最高値の約三分の一にまで到達した。しかも、九二年四月から八月にかけてはなだれのような急激な暴落が頻発し、日本中が騒然となった。新聞には連日のように「日経平均連日の安値更新、底値のめど立たず」という見出しが躍（おど）り、市場には絶望と悲鳴があふれ、多くの投資家が自分の資産が失われて行くことをただ呆然とながめていた。

「日本そのものが沈没する」とまで囁かれる中で、心配になった私は取材を開始した。そこで、かねてから面識のあった浦宏氏の自宅に押しかけた。確か、八月に入ってすぐの頃だったと記憶している。

私はJ氏に、「株、まずいですよね。このまま下落が止まらないと日経平均は一万円を割るでしょう。銀行も潰れ、日本経済は完全に麻痺するかもしれません」と言った。そして、浦氏がどう考えているのか聞いてみようとしたのだ。私は浦氏に単刀直入に尋ねた。「先生、株が連日下がっていて、えらいことですね。日経平均はこのまま一万円を割るのでしょうか?」。しかし、彼は自分の頬を撫でながら、「う〜ん」と唸るばかりで、なかなか答えようとしない。そこをJ氏がうまく聞き出した。「いやぁ、浦先生でもやはりわかりませんか」と言うと、私たち二人の方にぎょろりと目をやり、「そんなに知りたいのなら、教えてやろうか」と言った。「お前たちは信じないかもしれないが、日本株はもう間もなく大反発するぞ‼」。

私とJ氏は思わず、のけぞった。お互い顔を見合わせ、「このじいさん、ついに狂ったか?」と思った。浦氏の自宅を後にしたものの、私は彼の予測が信じられなかった。ただ、それでもやはり気になる。「少し時間ありますか?」帰りのハイヤーの車中で私はJ氏に声をかけ、自由が丘の喫茶店で一時間くらい話し合った。ただただ、信じられなかった。しかし、あの浦宏が断言したということは何かあるのではないか？　何か確たる根拠があるのではないか？　私たちはそういう結論に達した。

数日後、私たちは再び浦氏を訪ねた。やはり彼の予測は変わらなかった。「これ以上聞きたかったら、ルイ一三世を二本持って来い」などと冗談を言いつつ、彼は再び同じことを言ったのだ。

その後、日経平均は八月一八日に一万四三〇九円まで下落した。しかし、その安値が大底であった。そこから日本株は急反発したのだ。当時、日本の投資家の多くは「相場はまだ下がる」と見て売っていた。ところが相場が急反発したため、信用取引をはじめ売り方は「買い戻し」を迫られる。買い戻さないと損失がますます拡大してしまうからだ。こうして、売り方の買い戻しが連鎖的に起こる「踏み上げ相場」となり、相場は大反発した。なんと、日経平均はわずか三週間で五〇〇〇円弱も上昇し、ザラ場（取引時間中）で一万九〇〇〇円台を付けた。本当に、浦氏の言う通りになったのだ。

実際、彼の予測には根拠があった。当時、竹下登元首相と野村證券の会長を務めた田淵節也が極秘の会談を行ない、郵貯と簡保の公的資金を使い株価を支えようということになった。こうして、「PKO」（プライス・キーピング・オペレーション：株価維持政策）と呼ばれる株式市場への介入が行なわれた。

私も浦氏の相場予測に乗り、思い切って株を買ってみた。三銘柄にわけて合計三〇〇万円ほど投資した。浦宏の予測通り株式相場は上昇し、私は利益を上げた。約三割、九〇万円ほどの利益が出た。そこから税金が引かれるから、実際の儲けは七〇万円程度だ。さほど大きな利益ではないが、それでも投資額三〇〇万円に対して三割弱儲かったわけだから悪くはない。私は「儲かって良かった」と満足した。

しかし、しばらくして私はとても悔しい思いをすることになる。少し前、『ざんねんないきもの事典』という本が話題になったが、私は「ざんねんないきもの」ならぬ「残念な投資家」であった。決して、損したわけではない。多少なりとも儲かったのに、なぜ「残念な投資家」なのか？

■X氏と「オプション」との出会い

ささやかながら株で儲けて満足していた頃、私はもう一人の相場師X氏と出会う。X氏は浦宏に匹敵する、いや、ひょっとすると浦宏を超えるほどの天才的な相場師だったが、絶対に表舞台には出て来なかった。名前も非公表である。

若い頃には、株で二〇億円ほど稼いだと言っていた。ところが、それをあっという間に吹き飛ばしてしまったというのだ。お客さんから預かったお金を運用していたのだが、読みを外しわずか数週間で大きなマイナスを出してしまったそうだ。彼もまた、「外資系にやられた」と言っていた。彼は多額の借金を背負い、死ぬほどの思いをして返済したという。そのような厳しい経験をしながら、売買技術や相場に対する感性を磨いてきたのだろう。

自宅はお世辞にも立派とは言えなかったが、彼の蔵書はとても印象的であった。株をやっている人であれば、株や投資の本があるのが普通だが、そんなものは一切ない。チャートの本さえもないのである。代わりに本棚に並んでいるのは、聖書や論語といった類のものだ。そういった、世界の古典がずらりと並んでいた。彼はよく「こういったものをすべて理解しない限り、相場に強くなれない。人間というのは、根本に哲学がないと相場なんかできないのだ‼」と言っていた。彼は、私に哲学の重要性を教えてくれた。

彼からは、技術的にも多くのことを教わった。それらの多くは、今でも参考になる。その一つに、現物株に関するものがあった。彼は現物株取引を行なう場合、「小型株はやめておけ。大型株のみやれ」と言っていた。小型株は出来高が少ないため、見通しを外すと逃げられなくなる可能性があるためだ。売りたい時に売れず、買いたい時に買えないということが起こる。つまり、「損切り」ができないのだ。これは、時に致命傷になる。特に、「品薄株」は極端に出来高が少ないので、自分が売ったらそのことで売り気配になってしまうことさえある。だから、十分な出来高があり、いつでも売り買いできる大型株に限定するべきだというのだ。

彼の相場予測は卓越していた。相場の天井と底を驚くほどピタリと当て、ほとんど間違うことはなかった。しかし、ノウハウは絶対に教えてくれない。「なぜ、相場の転換がピタリとわかるんですか？」と聞くと、「カンでわかるんだ」などとはぐらかす。

X氏もまた酒飲みであった。酔っぱらうと怒鳴り散らし、手が付けられない。はっきり言って、酒乱に近い。家を訪ねると、奥さんが苦労している様子が伺えた。彼が酔っぱらうと、私が「帰る」などと言おうものなら、酒杯がパカーンと飛んで来る。一升瓶が飛んできたこともある。私は、本当に叩き殺されるのではないかという恐怖さえ覚えた。昭和というよりも、明治か大正時代の荒くれ男という感じの人だった。

X氏と会ったのは、九二年の九月末頃、浦氏の相場予測のお陰もあって、現物株でそこそこの利益を上げた頃だった。その時の彼との会話はあまりにも衝撃的で、今でも忘れられない。

X氏「お前、あの相場を当てたのか？」

浅井「ある人から情報を得て、現物で多少儲けました」

X氏「いくら儲けたんだ？」

浅井「三〇〇万円入れて、利益は九〇万、税金引いて七〇万くらいです」

それを聞いたX氏はいきなり「ワッハッハ」と笑い出し、こう続けた。

X氏「お前は現物や先物は知っていても、オプションというものを知らないだろう?」

浅井「オプション? それは何ですか? 何かの『選択肢』のことですか?」

X氏は「じゃあ、教えてやろう。お前、きっと腰を抜かすぞ」と言って、オプション取引について簡単に教えてくれた。話を聞いた私は、オプション取引の破壊力に本当に腰を抜かすほどの衝撃を受けた。

X氏「あの大底でコールオプションの九月物を一〇〇万円買った奴がいる。大儲けだ。いくらになったと思う?」

浅井「五〇〇万円くらいですか?」

X氏「ばか! 四億だよ、四億。本当に四億円になったんだよ」

私は耳を疑い、X氏に聞き返した。

浅井「それ、何かの間違いですよね？　四〇〇万か、せいぜい四〇〇〇万ですよね？」

X氏「いや、間違いなく四億だ。五円で買ったコールが二〇〇〇円になったんだ。つまり四〇〇倍だ。たった一〇〇万円の元手を三週間で四億にした男がいるんだ。お前もバカだなあ。お前がオプションを知っていればなあ。現物株ではなくオプションをやっていれば、お前の財産は四〇〇倍になっていたよ」

実は、オプションこそ〝宝の山〟なのだ。

では、再び三〇年前の九二年夏に戻ってみよう。あの時、連日大暴落を繰り返していた日経平均は、八月一八日を境にウソのように大反転を起こし、一万四三〇〇円まで下がっていたものが三週間で五〇〇〇円も戻し、九月初旬には一万九〇〇〇円にまで到達した。その三週間の間に、オプションのコール（上がれば儲かる商品）のある限月（げんげつ）のある価格帯の値段は、確かに五円から二〇〇〇円にまで値上がりした。実に、四〇〇倍になったのだ。つまり一〇〇万円投資していれば、四億円になったのだ。

しかも、当時は市場の決まりで五円が最低単位でその下はゼロだったが、今は一円まで最低単位が下がった。もし今、九二年と同じ相場の大反転が起きれば一円が二〇〇〇円になるわけで、二〇〇〇倍になるのだ。ということは、一〇〇万円投資したら二〇億円になるというわけだ。

では、オプションとは何か。これを説明し始めたら本一冊分になってしまうが、ここでは簡単に三分でわかるように解説しよう。

日経平均株価に連動したデリバティブ（金融派生商品）に先物とオプションがあり、大阪取引所に上場されている。つまり、何かいかがわしいものではなく、正式に市場に上場された公式のものである。しかも日経平均が暴騰したり暴落した場合、価値がすさまじく変動するスーパー兵器なのだ。

そして、これには株が上がったら儲かる「コール」と下がったら儲かる「プット」の二種ある。この二つをうまく使って二〇二五年の大変動を人生最大のチャンスにしようというのが「オプション研究会」の目的である。ぜひ、お問い合わせをお待ちしている。

では、そのオプションを使って、二〇二五年七月の危機をどうチャンスに変えるのか、その具体的な中身をお伝えしよう。まず、ターゲットは二〇二五年七月だから、その前にタイミングを見計らって下がれば儲かる方のプットを仕込む。もし本当に七月に大津波がやって来れば、日経平均は連日ストップ安となるだろうから、その値段は一〇〇〇倍以上になるだろう。もしあなたが一〇〇万円分買っていれば、一〇〇万円×一〇〇〇＝一〇億円ということになる。

その後しばらくして、大暴落の後に日経平均は三分の一戻しくらいをするだろうから、今度は逆に上がれば儲かる方のコールを一〇億円の半分の五億円買うとする。今度は購入額が大きいからプットほどの倍率は期待できないが一〇倍にはなるだろうから、五億円×一〇＝五〇億円となる。そうすると、合計で五億円＋五〇億円＝五五億円となる。ただし、税金で二〇％持って行かれるから、手取りは五五億円×八〇％＝四四億円となる。もし一〇億円を全額つっこめば一〇億×一〇倍で一〇〇億となる。税引き後の手取りは八〇億円となる。

もし、七月に何も起きなかったら、どうなるのか。一〇〇万円がゼロになるだけである。損失はそこで限定される。マイナスになることはないのだ。ならば、やる価値があるだろう。

しかし、文章でこのように書くと簡単に思われるかもしれないが、実際に実行するとなると、相当大変だ。かなりの準備と知識が必要だ。そこで、オプションについて二〇年以上の経験と知識を持つ私が、三年ほど前に「オプション研究会」を立ち上げたわけだ。危機をチャンスに変えたいという有志は、ぜひご参加いただきたい。

ところで、本文でも申し上げたが、もし幸運にもオプションで莫大な資金が手に入ったら、ぜひその一割を日本の復興のため、日本の大改革のために使っていただきたい。そうした志を持った人の頭上にのみ、幸運の女神は現れるに違いない。

■「オプション研究会」お問い合わせ先

(株)日本インベストメント・リサーチ オプション研究会」担当 山内・稲垣・関

TEL:〇三(三二九一)七二九一　FAX:〇三(三二九一)七二九二

Eメール：info@nihoninvest.co.jp

◆「オプション取引」習熟への近道を知るための「セミナーDVD」発売中

「オプション取引」の習熟を全面支援し、また取引に参考となる市況情報なども提供する「オプション研究会」。その概要を知ることができる「DVD」を用意しています。

■「オプション研究会 無料説明会 受講DVD」■

「オプション研究会 無料説明会」の模様を収録したDVDです。「浅井隆からのメッセージを直接聞いてみたい」「オプション研究会への理解を深めたい」という方は、ぜひご入手下さい。

「オプション研究会 無料説明会 受講DVD」（約一六〇分）

価格　DVD　三〇〇〇円（送料込）

※お申込み確認後、約一〇日で代金引換にてお届けいたします。

■以上、「オプション研究会」、DVDに関するお問い合わせは、
㈱日本インベストメント・リサーチ「オプション研究会」担当：山内・稲垣・関
TEL：〇三（三二九一）七二九一　FAX：〇三（三二九一）七二九二
Eメール：info@nihoninvest.co.jp

厳しい時代を賢く生き残るために必要な情報を収集するために

◆〝恐慌および国家破産対策〟の入口「経済トレンドレポート」

皆様に特にお勧めしたいのが、浅井隆が取材した特殊な情報をいち早くお届けする「経済トレンドレポート」です。今まで、数多くの経済予測を的中させてきました。そうした特別な経済情報を年三三回（一〇日に一回）発行のレポートでお届けします。初心者や経済情報に慣れていない方にも読みやすい内容で、新聞やインターネットに先立つ情報や、大手マスコミとは異なる切り口

からまとめた情報を掲載しています。
　さらにその中で、恐慌、国家破産に関する『特別緊急警告』『恐慌警報』『国家破産警報』も流しております。「激動の二一世紀を生き残るために対策をしなければならないことは理解したが、何から手を付ければよいかわからない」「経済情報をタイムリーに得たいが、難しい内容には付いて行けない」という方は、最低でもこの経済トレンドレポートをご購読下さい。年間、約四万円で生き残るための情報を得られます。また、経済トレンドレポートの会員になられます

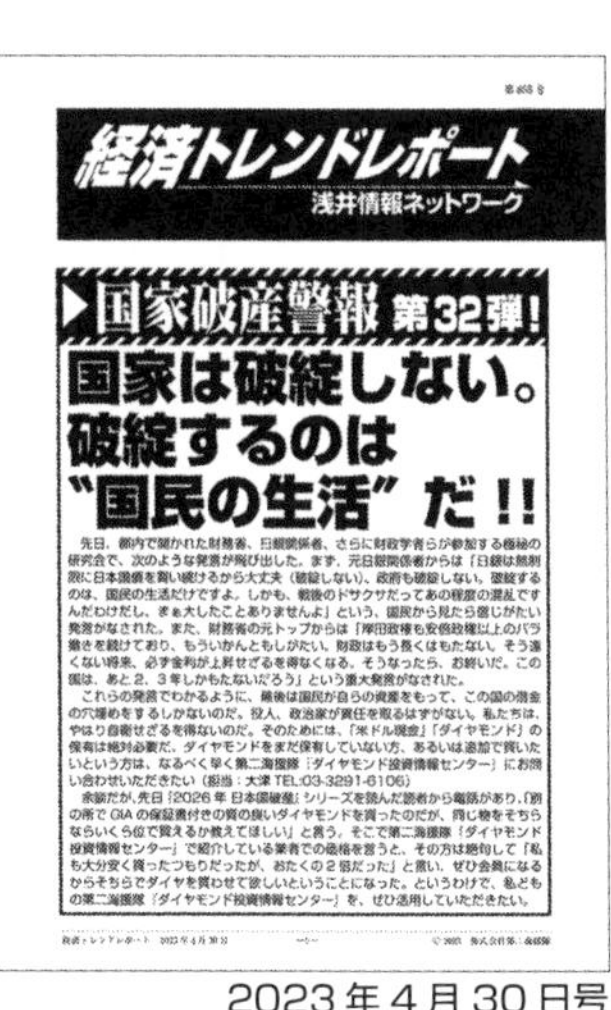

経済トレンドレポート
浅井情報ネットワーク

▶国家破産警報 第32弾!

国家は破綻しない。
破綻するのは
"国民の生活"だ!!

　先日、都内で開かれた財務省、日銀関係者、さらに財政学者らが参加する極秘の研究会で、次のような発言が飛び出した。まず、元日銀関係者からは「日銀は無制限に日本国債を買い続けるから大丈夫（破綻しない）。政府も破綻しない。破綻するのは、国民の生活だけですよ。しかも、戦後のドサクサだってあの程度の混乱ですんだわけだし、まぁ大したことありませんよ」という、国民から見たら信じがたい発言がなされた。また、財務省の元トップからは「岸田政権も安倍政権以上のバラ撒きを続けており、もういかんともしがたい。財政はもう長くはもたない。そう遠くない将来、必ず金利が上昇せざるを得なくなる。そうなったら、お終いだ。この国は、あと2、3年しかもたないだろう」という重大発言がなされた。
　これらの発言でわかるように、最後は国民が自らの資産をもって、この国の借金の穴埋めをするしかないのだ。役人、政治家が責任を取るはずがない。私たちは、やはり自衛せざるを得ないのだ。そのためには、「米ドル現金」「ダイヤモンド」の保有は絶対必要だ。ダイヤモンドをまだ保有していない方、あるいは追加で買いたいという方は、なるべく早く第二海援隊「ダイヤモンド投資情報センター」にお問い合わせいただきたい（担当：大津 TEL:03-3291-6106）
　余談だが、先日『2026年 日本国破産』シリーズを読んだ読者から電話があり、「別の所でGIAの保証書付きの質の良いダイヤモンドを買ったのだが、同じ物をそちらならいくら位で買えるか教えてほしい」と言う。そこで第二海援隊「ダイヤモンド投資情報センター」で紹介している業者での価格を言うと、その方は絶句して「私も大分安く買ったつもりだったが、おたくの2倍だった」と嘆い、ぜひ会員になるからそちらでダイヤを買わせて欲しいということになった。というわけで、私どもの第二海援隊「ダイヤモンド投資情報センター」を、ぜひ活用していただきたい。

2023年4月30日号

経済トレンドレポート
浅井情報ネットワーク

▶国家破産警報 第34弾!

この小康状態（2023～24年）の後に
巨大な衝撃がやってくる!!
その時期は2025～2026年頃か!?

　昨年と違い、今年は日本国債といい為替（ドル/円）といい、小康状態が続いている。しかし、これはあくまでも嵐の前の静けさといってよい。
　政府の借金は着実に増えており、改善する気配は全くない。日銀が、国債の貸し出しをやめて海外勢が売りをしづらくしているから国債が売られないだけで、基本的構造に何の変化もない。マグマだけが静かに不気味に溜まって行く。この状況は短くて1年、長ければ2年は続くだろう。
　次に危機がくるとすれば、それは為替が発端となることだろう。何かのキッカケでドル/円は160円を突破するはずだ。その時期は、2025年頃か。原因は台湾有事か、天災（南海トラフか首都直下型大地震、または富士山大噴火）となる可能性が高い。ドル/円は160円を超えた後、一気に200円または260円まで行くだろう。そうなれば、輸入インフレが国内を襲い、金利が上がらざるを得なくなる。事態がここまでくると日銀がいくら買っても国債は暴落せざるを得なくなり、一瞬で国家破産状況へ進むことになる。ただ、理論上は日銀は無制限に国債を買えるので、それを実行した場合、金利は上昇しないがインフレは止まらなくなり、円は紙キレとなる。いずれにせよ、この小康状態の間に最後の準備（米ドルの現金保管とダイヤモンドの買い増し）をするべきだ。

2023年5月30日号

「経済トレンドレポート」は情報収集の手始めとしてぜひお読みいただきたい。

と、当社主催の講演会などさまざまな割引・特典を受けられます。

■詳しいお問い合わせ先は、㈱第二海援隊　担当：島﨑

ＴＥＬ：〇三（三二九一）六一〇六　ＦＡＸ：〇三（三二九一）六九〇〇

Ｅメール：info@dainikaientai.co.jp

ホームページアドレス：http://www.dainikaientai.co.jp/

恐慌・国家破産への実践的な対策を伝授する会員制クラブ

◆「自分年金クラブ」「ロイヤル資産クラブ」「プラチナクラブ」

国家破産対策を本格的に実践したい方にぜひお勧めしたいのが、第二海援隊の一〇〇％子会社「株式会社日本インベストメント・リサーチ」（関東財務局長（金商）第九二六号）が運営する三つの会員制クラブ（**「自分年金クラブ」「ロイヤル資産クラブ」「プラチナクラブ」**）です。

まず、この三つのクラブについて簡単にご紹介しましょう。**「自分年金クラブ」**は資産一〇〇〇万円未満の方向け、**「ロイヤル資産クラブ」**は資産一〇〇〇

万~数千万円程度の方向け、そして最高峰の**「プラチナクラブ」**は資産一億円以上の方向け（ご入会条件は資産五〇〇〇万円以上）で、それぞれの資産規模に応じた魅力的な海外ファンドの銘柄情報や、国内外の金融機関の活用法に関する情報を提供しています。

恐慌・国家破産は、なんと言っても海外ファンドや海外口座といった「海外の活用」が極めて有効な対策となります。特に海外ファンドについては、私たちは早くからその有効性に注目し、二〇年以上に亘って世界中の銘柄を調査してまいりました。本物の実力を持つ海外ファンドの中には、恐慌や国家破産といった有事に実力を発揮するのみならず、平時には資産運用としても魅力的なパフォーマンスを示すものがあります。こうした情報を厳選してお届けするのが、三つの会員制クラブの最大の特長です。

その一例をご紹介しましょう。三クラブ共通で情報提供する「ATファンド」は、年率五~七%程度の収益を安定的に挙げています。これは、たとえば年率七%なら三〇〇万円を預けると毎年約二〇万円の収益を複利で得られ、およそ一〇年で資産が二倍になる計算となります。しかもこのファンドは、二〇一四年の運用開始から一度もマイナスを計上したことがないという、極めて優秀な運用実績を残しています。日本国内の投資信託などではとても信じられない数字ですが、世界中を見渡せばこうした優れた銘柄はまだまだあるのです。

冒頭にご紹介した三つのクラブでは、「ATファンド」をはじめとしてより高い収益力が期待できる銘柄や、恐慌などの有事により強い力を期待できる銘柄など、さまざまな魅力を持ったファンド情報をお届けしています。なお、資産規模が大きいクラブほど、取り扱い銘柄数も多くなっております。

また、ファンドだけでなく金融機関選びも極めて重要です。単に有事にも耐え得る高い信頼性というだけでなく、各種手数料の優遇や有利な金利が設定されている、日本に居ながらにして海外の市場と取引ができるなど、金融機関もさまざまな特長を持っています。こうした中から、各クラブでは資産規模に適した、魅力的な条件を持つ国内外の金融機関に関する情報を提供し、またその活用方法についてもアドバイスしています。

その他、国内外の金融ルールや国内税制などに関する情報など資産防衛に有用なさまざまな情報を発信、会員の皆様の資産に関するご相談にもお応えしております。浅井隆が長年研究・実践して来た国家破産対策のノウハウを、ぜひあなたの大切な資産防衛にお役立て下さい。

■詳しいお問い合わせは「㈱日本インベストメント・リサーチ」
TEL：〇三（三二九一）七二九一　FAX：〇三（三二九一）七二九二
Eメール：info@nihoninvest.co.jp

他にも第二海援隊独自の〝特別情報〟をご提供

◆浅井隆のナマの声が聞ける講演会

浅井隆の講演会を開催いたします。二〇二四年は東京・四月一九日（金）、大阪・四月二六日（金）、名古屋・五月一〇日（金）、札幌・五月三一日（金）で予定しております。経済の最新情報をお伝えすると共に、生き残りの具体的な対策を詳しく、わかりやすく解説いたします。

活字では伝えることのできない、肉声による貴重な情報にご期待下さい。

■詳しいお問い合わせ先は、㈱第二海援隊

TEL：〇三（三二九一）六一〇六　FAX：〇三（三二九一）六九〇〇

Eメール：info@dainikaientai.co.jp

◆「ダイヤモンド投資情報センター」

現物資産を持つことで資産保全を考える場合、小さくて軽いダイヤモンドは持ち運びも簡単で、大変有効な手段と言えます。近代画壇の巨匠・藤田嗣治は太平洋戦争後、混乱する世界を渡り歩く際、資産として持っていたダイヤモンドを絵の具のチューブに隠して持ち出し、渡航後の糧にしました。金（ゴールド）だけの資産防衛では不安という方は、ダイヤモンドを検討するのも一手でしょう。しかし、ダイヤモンドの場合、金とは違って公的な市場が存在せず、専門の鑑定士がダイヤモンドの品質をそれぞれ一点ずつ評価して値段が決まるため、売り買いは金に比べるとかなり難しいという事情があります。そのため、信頼できる専門家や取り扱い店とめぐり合えるかが、ダイヤモンドでの資産保全の成否のわかれ目です。

そこで、信頼できるルートを確保し業者間価格の数割引という価格（デパートの宝飾品売り場の価格の三分の一程度）での購入が可能で、GIA（米国宝石学会）の鑑定書付きという海外に持ち運んでも適正価格での売却が可能な条件を備えたダイヤモンドの売買ができる情報を提供いたします。

ご関心がある方は「ダイヤモンド投資情報センター」にお問い合わせ下さい。

■お問い合わせ先：㈱第二海援隊　TEL：〇三（三二九一）六一〇六　担当：大津

◆第二海援隊ホームページ

第二海援隊ではさまざまな情報をインターネット上でも提供しております。詳しくは「第二海援隊ホームページ」をご覧下さい。私ども第二海援隊グループは、皆様の大切な財産を経済変動や国家破産から守り殖やすためのあらゆる情報提供とお手伝いを全力で行ないます。

また、浅井隆によるコラム「天国と地獄」を連載中です。経済を中心に長期的な視野に立って浅井隆の海外をはじめ現地生取材の様子をレポートするなど、独自の視点からオリジナリティあふれる内容をお届けします。

■ホームページアドレス：http://www.dainikaientai.co.jp/

第二海援隊
ＨＰはこちら

〈参考文献〉

【新聞・通信社】
『ロイター』『日本経済新聞』

【書籍】
『私が見た未来』（たつき諒著　朝日ソノラマ）
『私が見た未来　完全版』（たつき諒著　飛鳥新社）
『2025 年の衝撃〈上〉〈下〉』（浅井隆著　第二海援隊）
『地震・災害財産防衛マニュアル』（浅井隆著　第二海援隊）
『原発・大地震生き残りマニュアル』（浅井隆著　第二海援隊）
『国家破産ではなく、国民破産だ！〈上〉〈下〉』（浅井隆著　第二海援隊）
『100 万円を 6 ヵ月で 2 億円にする方法！』（浅井隆著　第二海援隊）

【その他】
『ロイヤル資産クラブレポート』『経済トレンドレポート』『文藝春秋』

【ホームページ】
『YouTube　ペンキ画家ショーゲン SHOGEN』
フリー百科事典『ウィキペディア』
『内閣府』『原子力国民会議』『AFPBB』『NASA』『CNN』
『フォーブス』『ダイヤモンドオンライン』『省エネドットコム』
『三菱自動車』『本田技研工業』

内閣府
「南海トラフ巨大地震編
シミュレーション編（動画）

〈著者略歴〉

神薙　慧　（かんなぎ　けい）

1968年生まれ。千葉県出身。明治大学経済学部卒。商社マンを経て、3年前に独立。特に日本の近代史、経済史に詳しい。日本の将来を予測する特別なシンクタンクを設立するのが夢。一男一女の父。趣味は登山と旅行。浅井隆がこの5、6年育ててきた新進気鋭のジャーナリストで、非常に硬派の財政問題から地球の環境問題まで興味を示すが、今回のこのストーリーに関しては日本への警告のために浅井隆の勧めで一肌脱ぎ初出版に至る。

〈監修者略歴〉

浅井　隆　（あさい　たかし）

経済ジャーナリスト。1954年東京都生まれ。早稲田大学政治経済学部中退後、毎日新聞社入社。1994年に独立。1996年、新しい形態の21世紀型情報商社「第二海援隊」を設立。主な著書：『大不況サバイバル読本』（徳間書店）『95年の衝撃』（総合法令出版）『勝ち組の経済学』（小学館文庫）『次にくる波』（PHP研究所）『国家破産ではなく国民破産だ！〈上〉〈下〉』『あなたの円が紙キレとなる日』（第二海援隊）など多数。

2025年7の月に起きること

2024年3月13日　初刷発行

著　者　神薙　慧 著　浅井　隆 監修

発行者　浅井　隆

発行所　株式会社　第二海援隊
〒101-0062
東京都千代田区神田駿河台２-５-１　住友不動産御茶ノ水ファーストビル８Ｆ
電話番号　03-3291-1821　　ＦＡＸ番号　03-3291-1820
印刷・製本／中央精版印刷株式会社

ISBN978-4-86335-241-4

Printed in Japan

第二海援隊発足にあたって

日本は今、重大な転換期にさしかかっています。にもかかわらず、私たちはこの極東の島国の上で独りよがりのパラダイムにどっぷり浸かって、まだ太平の世を謳歌しています。

しかし、世界はもう動き始めています。その意味で、現在の日本はあまりにも「幕末」に似ているのです。ただ、今の日本人には幕末の日本人と比べて、決定的に欠けているものがあります。それこそ、志と理念です。現在の日本は世界一の債権大国（＝金持ち国家）に登り詰めはしましたが、人間の志と資質という点では、貧弱な国家になりはててしまいました。それこそが、最大の危機といえるかもしれません。

そこで私は「二十一世紀の海援隊」の必要性を是非提唱したいのです。今日本に必要なのは、技術でも資本でもありません。志をもって大変革を遂げることのできる人物と、それを支える情報です。まさに、情報こそ〝力〟なのです。そこで私は本物の情報を発信するための「総合情報商社」および「出版社」こそ、今の日本に最も必要と気付き、自らそれを興そうと決心したのです。

しかし、私一人の力では微力です。是非皆様の力をお貸しいただき、二十一世紀の日本のために少しでも前進できますようご支援、ご協力をお願い申し上げる次第です。

浅井　隆